改訂版

大学入学共通テスト

国語［古文・漢文］の点数が面白いほどとれる本

河合塾講師
太田善之・打越竜也

＊この本は，小社より 2020 年に刊行された『大学入学共通テスト　国語［古文・漢文］の点数が面白いほどとれる本』に，最新の学習指導要領と出題傾向に準じて和歌や漢詩もより手厚く解説するなどの加筆・修正を施し，令和 7 年度以降の大学入学共通テストに対応させた改訂版です。

＊この本には「赤色チェックシート」がついています。

はじめに

古文

しまった！　もう時間がない。なるべく「手間をかけず」に「本物の古文の力」を手に入れられるような本はないだろうか……。

ありますす。あなたが手にしたこの本です。古文の勉強方法がわからない人、文法も単語も頑張ったのに点数が伸びない人、どちらの焦燥感にも、この本はこたえられるはずです。

まず、文法と単語を覚えたのに古文が読めない人。それは、古文を品詞レベルでしか見ていないからです。古文は「文構造」のレベルで読まなければ読めません。本書では、古文を読むときに気を付けるべき「文構造」について、必要なポイントに絞って丁寧にお伝えします。

そして、そもそも勉強方法がわからず手を付けていない人。「文構造」の話に入る前に、覚えるべき「必要最小限の文法と単語」をその覚え方も込みで、やはり丁寧にお伝えします。文法と単語は覚え方が重要です。単なる丸暗記による平板な知識だけではいくら勉強しても古文は読めません。

本書をしっかり読めば「文法・単語」の豊かな広がりを理解できるようになるので、それだけでも読解の大きな助けとなります。そこに「文構造」の理解を組み合わせることで、たいていの古文は読めるようになります。

「必要最小限の文法と単語」と「文構造」。持っている道具は二つだけ。でも、難所に出合ったらその道具を最大限に利用して乗り越えるイメージです。しかも、この方法はあなたの古文読解スピードを格段に上げてくれます。「速く読む」力は共通テストでもとても大切です。

今回の改定では、近年の共通テストの傾向を踏まえて内容を改めました。また、第1章・第2章の終わりにはポイントをまとめたコーナーを作り、さらに学習しやすいように工夫しました。

学生時代は古文が苦手だった僕が、長年の授業の中で生徒たちと作りあげてきた大切なメソッド。どうか受け取ってあなたの力にしてください。

漢文

漢文を勉強すると聞いて、皆さんはどんなイメージを浮かべますか？

「嫌い」「苦手」「意味不明」「役に立たない」……。とにかく良いイメージがないかもしれません。でもそのイメージを早く払拭してみませんか？　なぜなら、漢文は驚くほどの得点源だからです。

実はこのような話は、他の参考書や授業でも言われていることです。問題は、得点源だからこそ漢文を簡単だと誤解し、それによって学習を後回しにするという人が多いということです。結局、漢文をなめてかかっているのです。どんなに得点源でも、甘く見ていれば結果は出ません。

共通テストに必要な「やるべきこと」は決まっています。たった**九種類の句形**、ほかの科目よりはるかに少ない**約百種類の単語**、英語に似た**文構造**、それに漢文に特徴的な**文章パターン**、最後に**三つだけの漢詩の法則**、これらを自分の武器とするだけで、設問が解けてしまうのです。

▼共通テストの漢文に不安を持つあなたへ！

共通テストは、文系も理系も、現役生も高卒生も、受験資格のある人ならば誰でも受けられる試験です。ということは、誰が受けても「これがポイントか！」と納得できる試験問題であるはずです。

なので、特殊な技術が必要なわけではありません。ただ「やるべきこと」をやりましょう。やった分だけそのまま点数になります。そんなあなたをサポートしたい、その一心で基礎から細かい解説と練習問題を入れつつ、最近の受験生が間違えやすいところ、学習の死角になるところ、そこには特に力を入れて書きました。この一冊を使いながら対策を立て、実行に移し、必ずや漢文を稼げる科目にしましょう！　そのための方法を、余すところなく解説しました。高得点をとるために必要十分な情報と、誰でも使える解法がこの一冊に詰まっています。これ以上でもこれ以下でもありません。

今回の改訂版を作成するにあたり、複数テキスト問題についてポイントを踏まえてきちんと速読、即解できるよう、皆さんが疑問に思いやすいところや間違えやすいところに焦点を当てることを心がけました。弱点克服をし、安定して満点を取れるようにしましょう！

さあ、すぐに始めよう！

目次

第2部 漢文編

本文イラスト：中口美保、けーしん
本文デザイン：長谷川有香（ムシカゴグラフィクス）

この本の特長と使い方

全体は**【古文編】【漢文編】**の二部構成です。

それぞれのパートは、共通テストに**必要な知識と解法が効率よく身に付く**ように解説してあります。

【巻末資料】として、まとめて暗記しておくべき事項を掲載しました。知識の見直しにも活用してください。

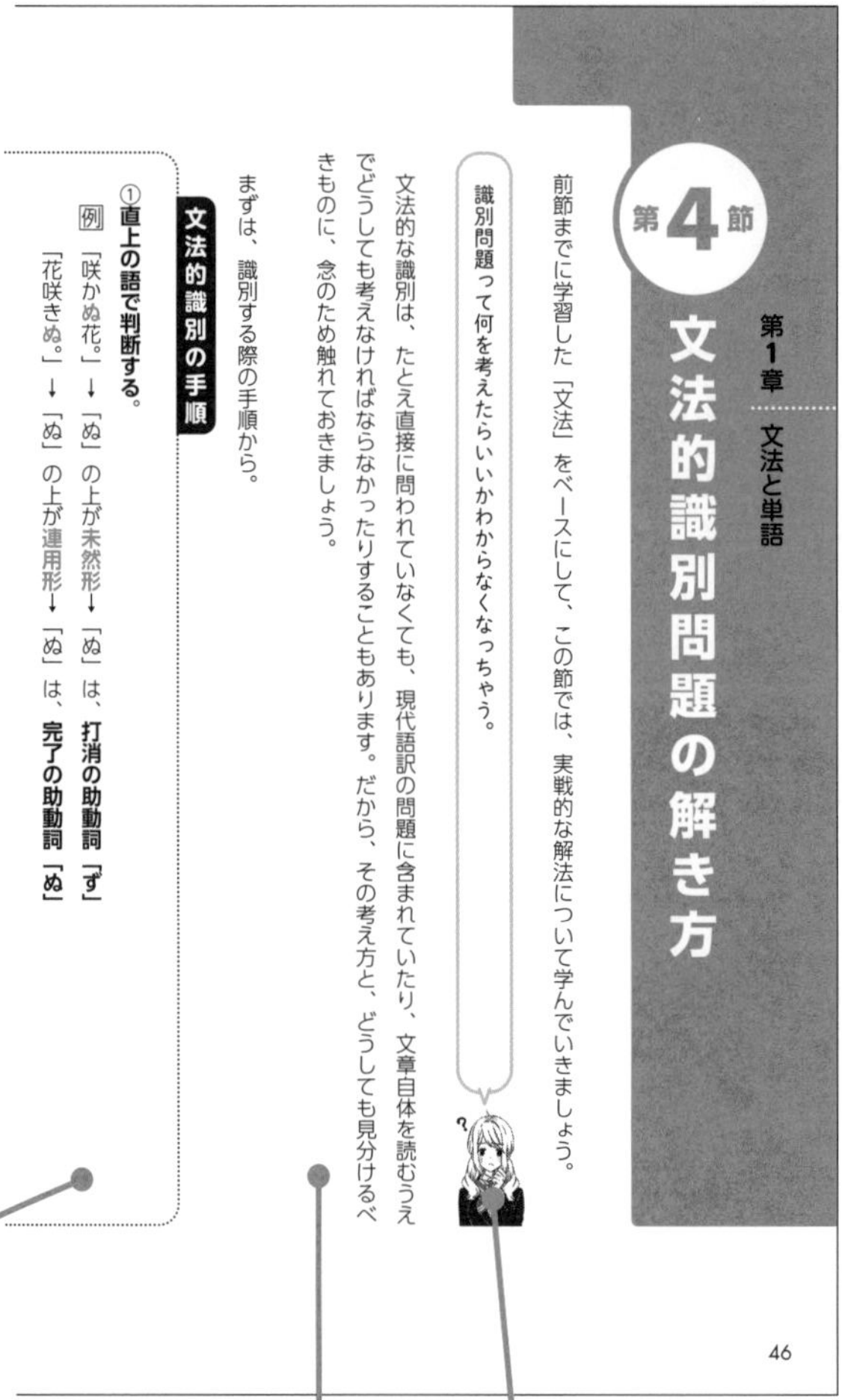
第1章 文法と単語

第4節 文法的識別問題の解き方

前節までに学習した「文法」をベースにして、この節では、実戦的な解法について学んでいきましょう。

識別問題って何を考えたらいいかわからなくなっちゃう。

文法的な識別は、たとえ直接に問われていなくても、現代語訳の問題に含まれていたり、文章自体を読むうえでどうしても考えなければならなかったりすることもあります。だから、その考え方と、どうしても見分けるべきものに、念のため触れておきましょう。

まずは、識別する際の手順から。

文法的識別の手順

①**直上の語で判断する。**

例「咲かぬ花。」→「ぬ」の上が未然形→「ぬ」は、**打消の助動詞「ず」**

「花咲きぬ。」→「ぬ」の上が連用形→「ぬ」は、**完了の助動詞「ぬ」**

46

生徒キャラが、あなたの気持ちを代弁して「合いの手」を入れています。多くの学習者が疑問に思うポイントがわかるだけでなく、楽しく読み進めることができます。

古文の太田先生、漢文の打越先生による、要点を押さえた本質的でわかりやすい説明が展開されています。

②下接する語から「識別する語」の活用形を判断する。 —①が通じない場合—

※動詞「晴る」は下二段活用なので、未然形と連用形が同じ。

例「晴れぬ空。」→「ぬ」自体が連体形→「ぬ」は、**打消の助動詞「ず」**

「空晴れぬ。」→「ぬ」自体が終止形→「ぬ」は、**完了の助動詞「ぬ」**

③意味内容から判断する。 —①も②も通じない場合—

例「過ぎぬなり。」→「ぬ」が打消「ず」なら、「過ぎ**ない**のだ。」

→「ぬ」が完了「ぬ」なら、「過ぎ**たら**しい。」

識別の多くは、①で決めます。ですから、識別すべき箇所にぶつかったときの鉄則は、「識別する語」の を見るです。例に出した「ぬ」で言えば、こうなります。

未然形＋「ぬ」→**打消の助動詞「ず」**	例「咲か(未然形)ぬ花。」
連用形＋「ぬ」→**完了の助動詞「ぬ」**	例「花咲き(連用形)ぬ。」

いつも、このように直上の語の活用形で判断できればいいのですが、現実にはうまくいかない場合もあります。その場合には②、要するに、**下接する語からさかのぼって、「識別する語」自体の活用形を決める**のです。

テーマごとに覚えるべき内容や重要なポイントは、囲みで示しました。復習するときは重点的に読み返しましょう。

記憶すべき内容や重要な記述は、赤太字や黒太字で強調してあります。重点的にインプットしましょう。

第1部

古文編

さあ、さっそく古文の学習を始めよう！
覚えることは効率よく覚えて、考える力を身に付けるための集中講義です。
速く読むためのコツが満載で、目からウロコが落ちること間違いナシ！
最初はちょっと大変だけど、しっかりついてきてね。

第1節 文法【用言】

古文は、「文法」と「単語」を効率よく頭に入れて、文構造を捉えられるようになるだけでバッチリ。

それでは、その第一歩として「文法」から始めましょう。特に、これから学ぶ「用言」は文法事項の基礎の基礎です。ここがしっかりしていないと、後々大変なことに……。最初に頑張って面倒なところを片づけておきましょう。

「用言」とは、**動詞・形容詞・形容動詞の三つの品詞をまとめた言い方で、活用のある自立語**のことですね。

1 動詞

まずは、動詞。動詞の活用の仕方をグループにすると、全部で九種類になります。そのうち六種類は所属語が少ない「覚える動詞」です。ほかの三種類が、「見分ける動詞」です。

動詞のまとめ

覚える動詞……六種類。

カ変…「来《く》」

サ変…「す」・「おはす」・「**漢字音読み＋す（ず）**」

	未然	連用	終止	連体	已然	命令
カ変	こ	き	く	くる	くれ	こ(よ)
サ変	せ	し	す	する	すれ	せよ

ナ変…**「死ぬ」・「去《い》ぬ（往《い》ぬ）」**
ラ変…**「あり」・「をり」・「はべり」・「いますかり」**
上一段…**「ひ《干》・い《射》・き《着》・に《似・煮》・み《見》・ゐ《居・率》―ル」**
下一段…**「蹴る」**

見分ける動詞……三種類。

四段…「書く」「言ふ」など多数。
→**「ア段音＋ず（＝ない）」**
上二段…「起く」「落つ」など。
→**「イ段音＋ず（＝ない）」**
下二段…「受く」「求む」など。
→**「エ段音＋ず（＝ない）」**

ナ変	ラ変	上一段	上一段 母音	下一段
な	ら	き	i	け
に	り	き	i	け
ぬ	り	きる	iru	ける
ぬる	る	きる	iru	ける
ぬれ	れ	きれ	ire	けれ
ね	れ	きよ	iyo	けよ

四段	四段 母音	上二段	上二段 母音	下二段	下二段 母音
か	a	き	i	け	e
き	i	き	i	け	e
く	u	く	u	く	u
く	u	くる	uru	くる	uru
け	e	くれ	ure	くれ	ure
け	e	きよ	iyo	けよ	eyo

やっぱり、ココからやらなきゃダメですか？　面倒くさいなあ。意味がわかればいいじゃないですか。

僕も高校時代、古文が大の苦手だったので、その気持ちよくわかります（笑）。でも、単語の意味だけではどうしようもない場合もあるのです。

次の二つの文について考えてみましょう。

A　うれしくはなし。

B　うれしきはなし。

この二つの文は、両方とも「うれし」と「は」と「なし」の三つでできています。でも、この二つの文の意味はずいぶんと違います。Aは、「うれしく」が連用形で、下の「なし」で打ち消されるので、「うれしくはない」と訳せます。しかし、Bは、「うれしき」が連体形なので、「うれしい人」などと名詞を補って訳します。全体では、「うれしい人はいない」と訳せます。つまり、Aは「うれしくはない」という個人の心境を説明した文で、Bは「うれしいと思う人は誰もいない」という事実を述べた文なのです。このような違いを生み出すのが、「うれしく（連用形）」と「うれしき（連体形）」という活用形の違いです。文構造をつかむ場合に、この両者の区別はかなり大切です。「文法」の重要性わかりましたか？

けっこう違いますね。難しそうだなあ。でも、文法をちゃんとやればこの違いもわかるってことですよね。

そうなんです。活用形がわかるだけで、文構造の理解は深まるし、これから先に学ぶ助動詞や助詞の識別にも、用言の知識が響いてきます。活用形の理解のために、動詞に関してまずやることは一つだけ。

①活用の仕方のパターン（前表の下段の太字部分）を何度も暗唱して覚えること。

特に、上二段・下二段と、カ変などの変格活用は、現代語の感覚となじまないので、意識して覚えていきましょう。

■動詞の活用の種類の見分け方

①「覚える動詞」に入っているかどうかをチェックする。
カ変・サ変・ナ変・ラ変・上一段・下一段は、ここで決定。残りは、
②その動詞に「ず」を付けた際、直上の母音で判断する。
ア段音（「書かず」の「か（ka）」）→四段活用
イ段音（「起きず」の「き（ki）」）→上二段活用
エ段音（「受けず」の「け（ke）」）→下二段活用

いくつか注意をしておきます。一つめは、**必ず「覚える動詞」からチェックする**こと。二つめは、「見分ける動詞」で「ず」が付けにくい場合は、**現代語にして「ない」を付ける**こと。三つめは、現代語には存在する**可能動詞**（「飛べる→飛べない」「読める→読めない」など）**は古文にはない**ということ。古文ではそれぞれ「飛ばず」「読まず」です。これらは忘れずに覚えておいてください。

動詞が基礎の基礎っていうのはわかったんですけど、読むときにいちいち判断するのはちょっと大変かも……。

いいえ、文章を読解するとき、普通は動詞の活用の見分けなんてしませんよ。そんなことをしながら読んだら、僕だって時間内には読み切れないかもしれません。慣れてきて、すっと活用形がわかるようになったら、**厄**《やっ》

介《かい》な動詞だけ覚えておいて、それが出たら活用形や活用の種類で判断しながら読解するのです。実際には、一つの問題文を解くときに動詞を見分ける必要があるのは、せいぜい二、三回ですね。では、厄介な動詞群を並べておきますから、きちんと見て覚えましょう。

四段と下二段で意味が異なる動詞……**「かづく」「たのむ」「慰《なぐさ》む」「たまふ」**
一文字動詞なので見分けづらい動詞……**「得《う》」（ア下二）、「寝《ぬ》」（ナ下二）、「経《ふ》」（ハ下二）**
活用の行と種類を忘れがちな動詞……**ヤ上一「射《い》る」**
ヤ上二「老《お》ゆ」「悔《く》ゆ」「報《む》ゆ」
ワ上一「居《ゐ》る」「率《ゐ》る」
ワ下二「飢《う》う」「植《う》う」「据《す》う」
似ているので混乱しがちな動詞……**「見る」（マ上一）と「見す」（サ下二）と「見ゆ」（ヤ下二）**
「似る」（ナ上一）と「似す」（サ下二）
「着る」（カ上一）と「着す」（サ下二）

2 形容詞・形容動詞

さて、次は形容詞と形容動詞です。形容詞も形容動詞も、それぞれ二種類の活用があります。

形容詞・形容動詞のまとめ

形容詞 **ク活用**…「白し」など。
→「白**く**て」となる。

形容詞 **シク活用**…「悲し」など。
→「悲**しく**て」となる。

形容動詞 **ナリ活用**…「静かなり」など。

形容動詞 **タリ活用**…「堂々たり」など。

	未然形	連用形	終止形	連体形	已然形	命令形
ク活用	(く)	く	し	き	けれ	
	から	かり		かる		かれ
シク活用	(しく)	しく	し	しき	しけれ	
	しから	しかり		しかる		しかれ

	未然形	連用形	終止形	連体形	已然形	命令形
ナリ活用	なら	なり	なり	なる	なれ	なれ
		に				
タリ活用	たら	たり	たり	たる	たれ	たれ
		と				

形容詞のク活用とシク活用は、現代語の感覚で「て」を後に続けて見分けます。また、左側の活用（補助活用やカリ系列などと呼びます）は、「(し)か」の後にラ変が付いた形です。ですから、**形容詞の活用の仕方は、「(く)・く・し・き・けれ & か+ラ変」**と覚えましょう。シク活用なら、終止形以外に「し」を入れれば完成です。

「く、から、く、かり～」で覚えたんですけど、ダメですか？

多少好みもあるけど、僕は縦に割るほうをオススメします。補助活用（カリ系列）は、ほとんどの助動詞や終助詞「なむ」「ばや」に続く場合に用いられます。例えば、形容詞「悲し」に連用形接続の助動詞「けり」（☞20ページ）を付ける場合、「悲しくけり」とは言いません。「悲しかりけり」が正解です。このように、下接する語の識別に使う場合、縦割りのほうが都合がよいのです。しかも、「＋ラ変」と覚えておけば、形容詞がラ変型活用語だということも明白です。もちろん、この点がわかっていればどちらでもかまいません。

問題 **次の文の文法的説明は正しいかどうか。**

「命得させしこそ嬉《うれ》しけれと」の「れ」は、過去の助動詞「けり」の已《い》然形の一部である。

（センター試験・改）

正解は**「正しくない」**でした。たしかに、「こそ」の結びは已然形（☞41ページ）で、助動詞「けり」の已然形は「けれ」です。しかし、「嬉し＋けれ」と二つの単語に切ると、終止形「嬉し」に連用形接続の「けり」が続くことになってしまいます。前表にあるように、**「嬉しけれ」で一語の形容詞の已然形**なのです。特にシク活用には注意しておきましょう。

入試で見る形容動詞は、ほとんどがナリ活用です。活用は**「な＋ラ変、連用形に『に』」**と覚えておきましょう。また、形容詞「悲し」と近い形容動詞「悲しげなり」があるように、**「〜げなり」**という形が多く見られます。また「はなやかなり」「ほがらかなり」のように、**「〜やかなり」「〜らかなり」**の形も多く見られます。

第2節 文法【助動詞】

現在僕たちの使っている日本語のもとの姿が「古文」なのですが、助動詞に関しては、現代の日本語とずいぶん違います。けれど、そこさえつかめば読むのがぐっと楽になります。要領よく学んでいきましょう。

何回も学校でやったけど、「完了」とか「過去」とかなんだかたくさんあるし、活用するし、すぐ忘れちゃうんです。

たしかに、文法的な面では助動詞が一番キツイところだからね。でも頑張りどころでもあって、これが手に入れば、古文を読むときに邪魔ものがいなくなりますよ。まずは、助動詞で覚えるべきことを整理しておきます。

助動詞ごとに、次の三つを覚えること。

①**訳し方**（と**文法的意味**）
②**接続**
③**活用型**（＝活用の仕方）

①は、それぞれの助動詞を現代語にするときにどう訳すかということです。**助動詞「けり」なら「〜(し)た」**

と訳します。また、**助動詞「けり」の文法的意味は「過去」**です。一つの助動詞で多くの訳し方（と文法的意味）を持つ助動詞もたくさんありますし、同じ文法的意味の助動詞が複数ある場合もあります。

②は、それぞれの助動詞がどの活用形に続くかということです。例えば、四段動詞「咲く」に助動詞「けり」が続くと、「咲きけり」となります（「咲き」は四段動詞の連用形）。これを**助動詞「けり」は連用形接続**と覚えていくわけです。

③は、それぞれの助動詞がどう活用するかということです。助動詞「けり」は、未然形から順に、**「(けら)・○・けり・ける・けれ・○」**となります。これを一つずつ覚えるということですが、主要な助動詞は三十弱ありますから、ぞっとしますね。でも、大丈夫。**助動詞「けり」はラ変と同じ**、などと覚えていけばいいのです。後でまとめて教えましょう。

接続	助動詞	未然形	連用形	終止形	連体形	已然形	命令形	訳し方など
連用形	けり	(けら)	○	けり	ける	けれ	○	～(し)た（過去）

↑ **②接続**　↑ **③活用型**　↑ **①訳し方と文法的意味**

古文の助動詞の中で、頻度も高く、重要度も高い助動詞群は、「時制」に関わる助動詞群です。この整理から始めます。

1 過去と完了

過去と完了の助動詞

過去の助動詞（「〜（し）た」と訳す）……**き・けり**
完了の助動詞（原則的に「〜（し）た」と訳す）……**つ・ぬ・たり・り**

過去と完了って何が違うんですか？

厳密に言えば、「過去」と「完了」は概念が違っていて、かつてあったことだと明示するのが過去、ある動作が時間に関係なくその場面の中で完了すると明示するのが完了です。でも、共通テストの古文を読解するにあたっては、こだわる必要はまったくありません。**すべて「〜（し）た」と訳す**と覚えれば充分です（念のため、「き・けり」は過去、「つ・ぬ・たり・り」は完了、と分けておけば完璧です）。

これらの助動詞は、重複して使われることも多いのですが、それも、まとめて「〜（し）た」で充分です。

「〜に・き」「〜に・けり」「〜て・き」「〜て・けり」
「〜たり・き」「〜たり・けり」「〜に・たり」
……「〜（し）た」と訳す

過去の助動詞「き」の活用は不規則なので、赤字にした未然形・連体形・已然形は、要注意です。

接続	助動詞	未然形	連用形	終止形	連体形	已然形	命令形	訳し方など
連用形 （カ変・サ変は未然形）	き	（せ）	○	き	し	しか	○	～（し）た（過去）

※「せ」は、反実仮想の**「せば～まし」**の形でしか使われない。

さらに、接続に関しては、**助動詞「り」**がポイント。ほかの過去・完了グループと違うので注意しましょう。

過去と完了の助動詞の接続

連用形接続……**き・けり・つ・ぬ・たり**

サ変の未然形・四段の已然形（命令形）接続……**り**

過去・完了グループの助動詞は、基本的に連用形接続ですが、助動詞「り」だけは異なるので、特に覚えておきましょう。「**サ**変の**未**然形」と「**四**段の**已**然形（命令形に付くという説もあります）」に接続する助動詞「**り**」の文法的意味は**完**了なので、「**サミシイリカ**」などと覚えます。なお、「**り**」の上に来る動詞は必ず「**エ段音**」ですから、

「エ段音」＋「ら、り、る、れ」→完了の助動詞「り」

と覚えておくと、助動詞の識別の際に、とても役立ちます。

結局、過去・完了グループの助動詞って、「〜（し）た」でいいんですよね。それでいきます。

ほとんどの場合、それでオッケーです。ただ、例外的に「〜（し）た」と訳さないこともあるのです。助動詞「つ」「ぬ」の強意（確述）の用法です。この場合、「きっと〜、たしかに〜」などと訳すことが多く、大意を取るだけなら訳さないこともあります。基本的には、助動詞「む」「べし」が下接した場合です。

ちょっと難しそう……。

そうでもありません。助動詞「む」「べし」は未来や未確定な事柄に使い、過去のことには使えません。なので、「つ」「ぬ」を「〜（し）た」と訳すと、全体は「〜ただろう」などと訳すことになり、過去のことを想像した文になってしまいます。それでは、「む」「べし」とは時制が合わなくなります。そこで、この場合だけ、「つ」「ぬ」を「〜（し）た」と訳さないように、強意（確述）と分けたのです。ですから、次にあげる四つのパターンだけは強意（確述）、それ以外は完了と覚えておいてください。要は、「む」「べし」の強調文ということです。

「連用形＋**て・む**」「連用形＋**な・む**」＝**「未然形＋む」**
例「御船《みふね》返してむ」（＝御船返さむ）訳このお船を（港に）戻そう（『土佐日記』）
「連用形＋**つ・べし**」「連用形＋**ぬ・べし**」＝**「終止形＋べし」**
例「日暮れぬべし」（＝日暮るべし）訳日が暮れるだろう（『大和物語』）

これで、過去・完了グループはレベルアップできましたね。

2 推量

時制にも関わり、頻度の高い助動詞でもある推量系の助動詞を確認していきましょう。

推量系の助動詞

推量の助動詞（未来や未確定なことへの想像）……**む・（むず）・べし・まし**
過去推量の助動詞（過去の出来事への想像）……**けむ**
現在推量の助動詞（現在の出来事への想像）……**らむ**
打消推量の助動詞（ある出来事がないことへの想像）……**じ・まじ**

たくさんありすぎです……。これはやばいかも。

大丈夫！　簡単に理解できるコツがあるのです。まずは、**活用型**の話から始めましょう。**「べし」「まじ」は、「し」「じ」で終わるので、形容詞型**となります。それぞれ、ク活用とシク活用だと覚えてください。「じ」は活用がすべて同じで、「じ」にしかなりません。また、**「む」で終わる「む・けむ・らむ」はすべて同じ活用**をします。存在しない活用形も多いので次のように覚えてください。

助動詞	未然形	連用形	終止形	連体形	已然形	命令形
む	○	○	**む**	**む**	**め**	○

同様に、「けむ」なら「○・○・**けむ・けむ・けめ**・○」、「らむ」なら「○・○・**らむ・らむ・らめ**・○」です。

ついでに言えば、「むず」はもともと「む」に助詞「と」とサ変「す」の付いたものなので、サ変型で「○・○・**むず・むずる・むずれ**・○」となります。

あとは特殊な活用をする「まし」だけは何度も復唱して覚えるしかありません。未然形に「ませ」とありますが、これはおそらく和歌の中でしか見ないので、そこまで気にしなくても大丈夫。

助動詞	未然形	連用形	終止形	連体形	已然形	命令形
まし	**ましか** （ませ）	○	**まし**	**まし**	**ましか**	○

「む」と「まし」だけ何度も唱えればいいんですね。ほっとしました。でも、特殊な活用の仕方をする助動詞って、「まし」のほかにもけっこうたくさんあるんですか？

いいえ、前項で見た**「き」**と、この**「まし」**と、打消の**「ず」**の**三つだけ**です。これだけは頑張ってください。
ここで**活用の仕方**をまとめておきましょう。

丸暗記する助動詞……**「き」「まし」「ず」**の三つ
「―り」で終わる助動詞……**ラ変型**（断定「なり」はそこに連用形「に」を加える）
「―し」「―じ」で終わる助動詞……**形容詞型**（「じ」は変化なし）
「―む」で終わる助動詞……○・○・**む・む・め**・○
「ぬ」……**ナ変型**
残りの助動詞〔つ・（ら）る・（さ）す・しむ〕……**下二段型**

さて、次は**文法的意味**の話です。これらの助動詞群を理解するための最大のポイントは**「む」**にあります。まず**「む」**から説明しましょう。ざっくりと言ってしまえば、英語のwillのように、未来や未確定な出来事を想像している場合に使う助動詞です。ですから、中心的な意味は二つ、その二つに加えてあと一つ覚えれば充分です。

「む」の意味

①**推量**……［～だろう］
②**意志**……［～う、～よう、つもりだ］
③**婉曲**《えんきょく》……［（～ような）］

速読する場合には③**婉曲**の「む」をまず意識します。**助動詞「む」が文中に使われている場合は婉曲と考えて差し支えありません**。訳す場合にも［ような］と訳してもよいですが、いっそ飛ばして読みましょう。また、たいていの場合、直下に体言がありますが、ない場合には**「時、人、場合、の」などを補って**読み進めていきます。

次に、**「む」が文末に使われている場合には、推量と意志との訳し分け**をするのです。例えば、「帰らむ」と文末にある場合、［帰るだろう］で文脈に合えば推量、［帰ろう］で合えば意志、といった具合です。本当は、「む」には勧誘・適当などという意味もありますが、それも訳は［帰ろう］ですから、やはりさっきのやり方で通用するのです。

「文中」と「文末」で分ければいいんですね。でも、「文中」ってどういうことですか？

「文中」とは、その「む」の箇所で文が切れない場合、簡単に言えば句点（。）が付かない箇所です。「花の咲か**む**折」のように直下に体言がある場合はもちろん「文中」です。また、「桜の散ら**む**は、」や「ひたおもてになら**む**、やすしかし」なども句点が付かないので「文中」と考えてください。

「文末」とは、句点の前の「む」の場合ですが、「さにやあら**む**と思ふに、」なども、「『さにやあらむ。』と思ふに、」となるので、やはり引用句の最後で句点が付く＝「文末」と考えてください。また、「よし聞か**む**かし。」なども、文末に終助詞「かし」が付いただけなので「文末」と扱います。

つまり、文末の場合には「そう**だろう**かと思うと、」、「よし聞こ**う**よ。」と訳し分けて、それぞれ推量、意志と判断するのです（もちろん、文法用語が問われていなければ、訳し分けまでで大丈夫です）。

「む」の識別

●文中の場合
- ・〜**む**体言、…
- ・〜**む**（体言）は、…
- ・〜**む**（体言は）、…

→ **婉曲**

●文末の場合
- ・〜**む**。 → 「〜だろう」 **推量**
- ・〜**む**と… など → 「〜う、〜よう」 **意志**

できそうな気がしてきました。慣れるまで練習してみます！

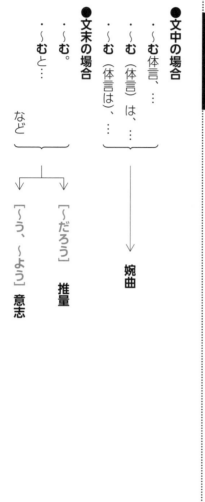

さて、次は「む」と「けむ」「らむ」との関係です。一言で言えば、これらは**推量の時間トリオ**です。「けむ」は、「き」や「けり」のk音と「む」がくっついたと考えます。だから、**「けむ」は過去と推量で過去推量**（「〜ただろう」）です。一方、「らむ」は、「あり」のr音と「む」がくっついたと考えます。だから、**「らむ」は現在と推量で現在推量**（「〜ているだろう」）です。

次は、「む」と「べし」「まし」との関係です。こちらを一言で言えば、**推量の強弱トリオ**です。これらの助動詞は、未来や未確定な事柄への推測（＝「推量」）を基本的な意味としています。その中で言うと、「べし」が一番強く、語り手が「間違いない」と思った事柄に使われます。「む」は少し弱くて「たぶん〜だろう」というイメージ。「まし」はもっと弱くて、あり得そうもない出来事が「まし」の上に来ます。ですから、「まし」は「反実仮想（＝あり得ないことを想像する意味）」や「ためらいの意志（＝微弱な意志）」の意味を持つのです。

なお、「べし」は、**①「〜べきだ、〜はずだ」でまず訳してみて合えば終了→②合わなければ、弱めて「〜だろう」にする→③合わなければ、「〜のがよい」にする**と、七〜八割までは当てはまります。数多くある「べし」の訳例を毎回すべて考えるのでなく、「む」の強調バージョンとして考えてみてください。

その次は、打消推量の助動詞ですが、これはもう簡単すぎる。**「む」の打消が「じ」、「べし」の打消が「まじ」**なのです。簡単でしょ？

最後に、**接続**の話をします。以前にも言いましたが、これは覚えるしかないところなので、まずまとめておきますね。

第1章 文法と単語

推量系助動詞の接続

未然形接続……**む・むず・じ・まし**
連用形接続……**けむ**
終止形接続……**らむ・べし・まじ**
※なお、終止形接続の助動詞は、ラ変型活用語には連体形に接続します。

簡単に説明を加えましょう。助動詞「む」は未然形接続です。「むず」は、「む」に「とす」(助詞「と」とサ変動詞「す」)が付いたのがもともとの形なので、当然、同じ未然形接続です。「じ」も「む」の打消系なので、同じです。

また、「けむ」は過去に関わる助動詞なので、「き」や「けり」と同じと覚えます。「らむ」は「む」の時間トリオの一つですが、これらはみな違う接続なのだと覚えておきましょう。「べし」も終止形接続で、その打消系の「まじ」も終止形接続です。

3 断定とその周辺

次に頻度の高い助動詞は、文末に使われることも多く、推量系と好対照の助動詞です。

断定とその周辺の助動詞

断定の助動詞（間違いないと判断し言い切る）……**なり・（たり）**
推定の助動詞（根拠を持って確信した想像）……**なり・めり**
比況の助動詞（別のものにたとえる）……**ごとし・やうなり**

活用型はもうわかります！「なり・たり・なり・めり・やうなり」がラ変動詞と同じで、「ごとし」は形容詞と同じ、ですよね？

そのとおり。すばらしい！ 楽な覚え方が身に付いてきましたね。では、**文法的意味**の話に入りましょう。これらの助動詞は、断定の助動詞とその周辺と考えてみると、理解がしやすいです。

これは盗人の家**なり**。 訳 これは盗人の家**だ**。（『更級日記《さらしな》』）……述語が「○○だ」の形

このように、**「名詞句＋なり」**の形で述語を作るのが、「断定」の基本的な使い方です。断言するというよりも、**「主語＝述語」と定義するような形だ**と思ってください。**基本的な訳し方は「〜だ、〜である」**ですが、くだけた表現では「これは盗人の家」でも通るわけで、読解上そこまで重要視する必要はありません。また助動詞一覧表などには、断定の助動詞「たり」もよく載せてありますが、これは、ほとんど見ることはないので、すっぱり

と忘れてしまいましょう（念のため言うと、断定「たり」は漢語の名詞句に接続して用いられるので、漢文訓読調でないとほとんど見ないのです。「我が校の生徒たる自覚を持って……」などの「たり」です）。

推定の助動詞「なり」「めり」というのは、それぞれ、聴覚情報による推定、視覚情報による推定です。根拠があるので「ほとんど間違いない」と発言者は思っているわけです。ですから**「〜ようだ、〜らしい」などと訳す**のが一般的です。ザァッと雨が降ってきた音を聴いて、「外は雨のようだ」と発言するような形です（これは雨の音という**聴覚情報に基づくので「なり」**を使います）。でも、「外は雨のようだ」という文は「外は雨だ」でも充分に通じますよね。本当は「外は雨だ（と思われる）」なのですが……。要するに、推定の助動詞は「だ」のソフトなバージョンだと思ってしまえばいいので、丁寧に訳すなら「〜らしい」、面倒ならば断定と同じく「だ」としておけば文意は取れます。

また**「ごとし」「やうなり」**という助動詞は、ある物事を別の何かにたとえる場合に使う助動詞で、**「ようだ」**と訳せば大丈夫です。「主語≒述語」の形なので、これも断定に近く、「だ」と訳しても通じる助動詞です。

ここまでの助動詞を中心に図式化すると、次のようになります。

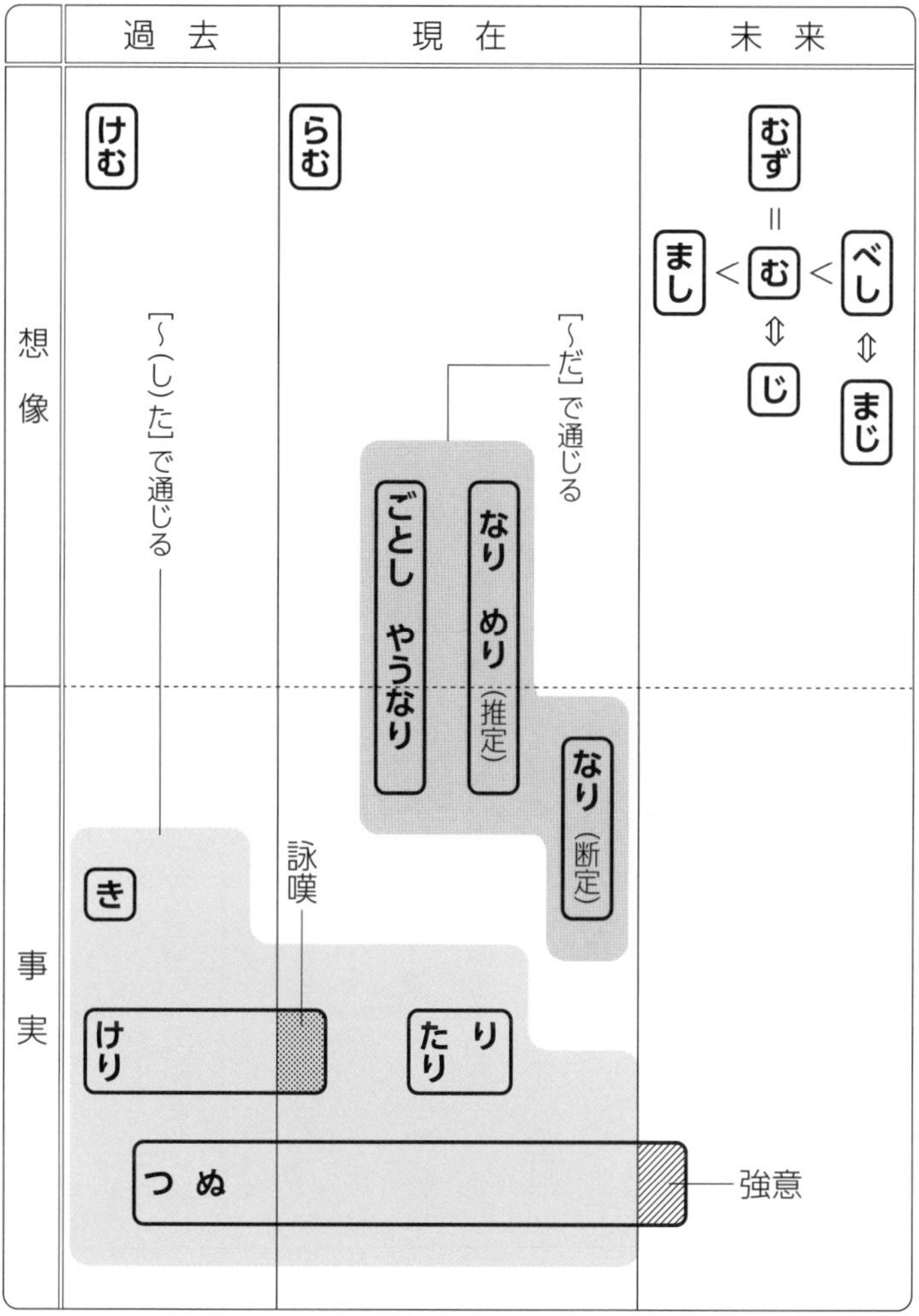

4 受身と使役

内容理解に深く関わるので、注意しながら考えるべき助動詞が、受身と使役の助動詞です。

受身と使役の助動詞

受身などの助動詞……る・らる
使役などの助動詞……す・さす・（しむ）

あ〜、これマジで苦手なんですよね。文法力ないなあっていつも思います。

文法的に分けることと、内容を取ることとをきちんと分けて考えれば、それほどキツい助動詞ではありませんよ。だって、「る」「らる」は現代語の助動詞「れる」「られる」とほぼ対応しますし、同様に「す」「さす」は現代語の助動詞「せる」「させる」とほぼ対応します。つまり、**「る」「らる」は「〜れる」「〜られる」で、「す」「さす」は「〜せる」「〜させる」で訳して話が通じている限り、そのまま**放置してしまえばいいのです。

現代語の、「私は先生が話さ**れ**た言葉に感動した。」や「先生が生徒に風邪をうつさ**れ**た。」の文の意味って間違えませんよね。例えば、「先生が誰かに言われた」とか「先生が風邪をうつした」などというように。

たしかに、そういう誤解はしないですね。

ですよね。「あれ？　なんか変だな」と思わない限りは、そのままの内容理解でいいのです。文法用語で言えば、それぞれ尊敬と受身となりますが、理解している箇所を、問われてもいないのに、文法用語に置き換える必要な

どないのです。

ただ、「る」「らる」が受身と可能の場合は「〜れる」「〜られる」で訳せるのですが、自発と尊敬の場合は少し混乱しやすいので注意が必要です。

自発……「自然と〜する」 ↓無意識にその行動をしていて、「〜しちゃう」と訳して通じる場合。

尊敬……「〜なさる」 ↓ほかの三つが合わず、結局偉い人がその行動を「している」場合。

「自発」は、例えば「故郷の母のことが思わ**れる**。」の「れる」ですが、現代では普通こういう言い方をしません。ですから、この場合は「〜を（無意識に）思っちゃう」にしてしまいましょう。これならうまくいきます。また、「尊敬」は「**お**話し**になる**」などと使うのが一般的で、先に挙げた「先生が話さ**れ**た」の「れ」（尊敬）は珍しい表現です。なので、この二つは、「〜れる」「〜られる」で訳すとうまく合わなくて、主語を勝手に読み替えて誤読したりしがちです。助動詞「る」「らる」については、次のように処理しましょう。

る・らる

①**そのまま「〜れる」「〜られる」**で訳して、素直に理解できる場合 →**このまま**

②変だと思ったり、文法的に問われたりする場合

a **形で決める場合**

・「仰せ**らる**」＝**尊敬**で取り、全体が「おっしゃる」の意味になる

b **形で当てをつける場合**

・「知覚動詞＋**(ら)る**」　↓**自発**「〜しちゃう」
・「〜**(ら)る**＋打消」　↓**可能**「〜できる」
・「他人に〜**(ら)る**」　↓**受身**「〜(ら)れる」
・「偉い方が〜**(ら)る**」　↓**尊敬**「〜なさる」

C　**主語と一緒に訳し分ける場合**
（動詞と「(ら)る」の間に「こと」を入れて）
・「〜ことをされる」　↓**受身**
・「〜ことをしちゃう」　↓**自発**
・「〜ことができる」　↓**可能**
・「〜ことをなさる」　↓**尊敬**　※尊敬は、ほかの三つが合わず、消去法で決まることも多い。

①があるとホッとする。これならなんとかなりそう！

一方「す」「さす」ですが、こちらは現代語には「〜せる」「〜させる」という使役の意味しか残っていませんが、古文では、**使役**と**尊敬**とがあり、その点が混乱しやすい助動詞です。「る」「らる」はそのまま訳してもおおむね合うのですが、こちらは「〜せる」「〜させる」で訳しても合わないことが多いのです。そこで、次のように処理しましょう。

す・さす

①**形で決める場合**

・「～**(さ)す**」の前後に尊敬語がない　→**使役**「～せる、～させる」

②**形で当てをつける場合**

・「**(さ)せ**給ふ」「**(さ)せ**おはします」　→**尊敬**「～なさる」

（「出でさせ給ふ」→「出る」で主語と合致したら**尊敬**）

①は「かれに物食は**せよ**」の場合です。これは「あれに何かを食べ**させろ**」となります。前後に尊敬語がないので、形で使役と決まります。

古文を読んでいると、②に書いた「(さ)せ給ふ」の形が多いのです。この場合、訳し分けるとかえって混乱しがちなので、まずは尊敬だと思うことにして、「～なさる」あるいは、動詞だけで理解して主語と合致するかを確認しましょう。それで通じるなら尊敬で、通じなければ「～させなさる」（→～させる）となります。

殿は、あなたに出で**させ**給ふ。　訳 殿は、あちらのほうへ出なさる。（『紫式部日記』）

この一文の前後がないのでわかりづらいですが、「殿が出る」と考えて意味が通じます。この場合、「させ」は**尊敬**と考えていいということです。

第3節　文法【助詞】

助動詞もだいたいわかったし、次は助詞ですよね、完璧にしますっ！

気合いが入っているのに申し訳ないんだけど、助詞は、助動詞と違って活用もしないし、接続を覚えなければならないものも少ないんです。ほとんどは現代語でそのまま訳せるので、肩の力を抜いて気楽にやりましょう。まずは、接続を覚えておかないといけない助詞です。

ば・とも・ども・で

未然形＋**ば**……［～なら、～たら］**順接仮定条件**

已然形＋**ば**……①［～ので、～から］**原因理由（順接確定条件）**

……②［～たところ、～すると］**単純接続（順接確定条件）**

……③［～するといつも］**恒常条件（順接確定条件）**

終止形＋**とも**……［（たとえ）～ても］**逆接仮定条件**

已然形＋**ども**……［～が、～けれども］**逆接確定条件**

未然形＋**で**……［～せずに、～しないで］**打消接続**

※「とも」は形容詞型の語や打消の「ず」に付く場合には連用形になります。

例 「悲し」＋「**とも**」＝「悲しく**とも**」

これらの助詞を正しく読むためにも、活用形の見分けは必須です。用言や助動詞に習熟しておきましょう。

「暁《あかつき》より雨**降れば**、同じ所に泊まれり。」（『土佐日記』）を見て、「降れ」は已然形と気付けば、［雨が**降るので、**同じ所に停泊した。］と理解できます。現代語に惑わされて［雨が降ったら］と理解すると、その後に続きません。

このように、読解に大きく関わる助詞です。必ず覚えましょう。

次に説明する助詞も、接続を覚えておくべきものです。これらの助詞も、やはり内容理解に欠かせないので、きちんと整理しておきましょう。

ばや・にしがな・てしがな・なむ・（も）がな

未然形＋ばや
連用形＋にしがな
連用形＋てしがな
……［～たい］**自己の願望**

未然形＋なむ……［～てほしい］**他への願望**

体言、形容詞の連用形など＋（も）がな……［～があればなあ、～だといいなあ］**実現性の低い願望**

特に、共に未然形に付く「ばや」と「なむ」の訳の違いは頻出のポイントです。

次は、油断すると怖い助詞を確認しましょう。まずは係助詞「や」「か」です。

や・か

体言、連体形など ＋や……**連体形。**
体言、連体形など ＋か……**連体形。**
……①「～か」**疑問**　②「～か、いや～でない」**反語**

これらの助詞は受ける箇所の末尾の語を連体形にします。そして、疑問か反語の意味を持ちます。

ああ、現代語の「か?」ですよね。この疑問と反語って見分けづらくないですか?

たしかに、会話で「それでいいの?」なんて言われた場合も、単純に聞いているのか、それとも、間違っていると言いたいのかは、相手との関係や語調や表情で決まるものですし、たとえ流れがつかめていても、どちらの意味か決定することが難しいことはよくあります。ですから、シンプルに**「反語は答えを求めない」**、これで決めます。**相手に答えを求める場合を疑問**とし、**答えを直接に求めていない場合は反語**とするのです。少し自問自答気味であっても、はっきり答えを要求していない場合は反語にします。子どもが一人で遊んでいるときの「何してるの?」は疑問。子どもが危ないことをしているときの「何してるの!?」は反語。これでバッチリです。

おまけで、「や」「か」と同じく係助詞に属する、「ぞ」「なむ」「こそ」の係り結びについても確認しておきましょう。

ぞ・なむ・こそ

体言、連体形など ＋**ぞ**……**連体形。**
体言、連体形など ＋**なむ**……**連体形。**　……〔(訳なし)〕**強調**
体言、連体形など ＋**こそ**……**已然形。**

これらは強調なので、訳は普通の文と同じです。

さやうの事する者は、剛《かう》の者とは言はで、しれ者と**こそ申せ**。(『曽我《そが》物語』)

もちろん［そういうことをする者は、勇ましい者とは言わずに、愚《おろ》か者と申します］というのが正しいのですが、「申せ」に引っ張られて、［愚か者と申し上げろ］と誤読しないように注意しましょう。

なお、「こそ」の結びが文中にあれば逆接で訳す、という特別な用法があることも覚えておきましょう。

また、「だに」「さへ」という助詞も、現代語と混乱しやすいものです。

だに・さへ

体言、連体形、助詞など＋だに……①「～（で）さえ」**類推**　②「（せめて）～だけでも」**最小限**

体言、連体形、助詞など＋さへ……「～までも」**添加**

古語「だに」が「～さえ」と訳す語で、古語「さへ」は「～さえ」と訳さない、と理解しておきましょう。また最小限の用法は、**その下に「命令、意志、希望、仮定」の表現が来た場合**に使われる用法です。

終助詞・間投助詞と呼ばれる助詞にも現代語と混乱しやすいものがいくつかあります。

な・や・か・かな・（ぞ）かし

文末＋な……①「～てはいけない」**禁止**　②「～なあ、～ね」**詠嘆・念押し**

文末＋や、**文末**＋か、**種々の語**＋かな……「～なあ」**詠嘆**

種々の語＋（ぞ）かし……「～よ、～ね」**念押し**

「な」の禁止（「寝るな！」の「な」）は現代語どおりですが、このほかに詠嘆の用法があります。と言うとまたウンザリするかもしれませんが、現代語の「寝てるなあ」の「なあ」が短くなったと思えばいいのです。また、「や」「か」に疑問などの意味があることは先に見ました。加えて、この意味も覚えておきましょう。これも考えてみれば現代語にある用法です。何かに気付いたときに「あ、そうか！」（地域によっては「そうや！」）と言いますね。あの「か（や）」なのです。あれは疑問でも反語でもないですね。つまり、これらの助詞は**文章が読めていると、間違えない助詞**なのです。この使い方があることさえ知っておけば。

ついでに載せた「かし」は現代語だと「さぞかしお疲れのことでしょう」などと言う場合に使われていますが、私たちは文末には使いません。古文では会話などでよく見られますが、まあ見なかったことにしておけばいい助詞なのです。

たしかに現代語でも同じですね。これならなんとかなりそうです。こんなにカンタンでいいの？

の

最後に、助詞の中で唯一、用法名をしっかり問われることの多い助詞「の」に触れます。

体言、連体形など＋**の**……
- ①**主格**「～が（～の）」
- ②**連体修飾格**「～の、～への」
- ③**準体格（体言の代用）**「～のもの、～のこと」
- ④**同格**「～で（あって）」
- ⑤**連用修飾格（比喩《ひゆ》）**「～のように、～のような」

用法名を分けるのは少し面倒ですが、長文読解にあたってはそれほど難しくない助詞です。①〜③はすべて現代語でよく使うものなので、私たちは自然に読めます。それぞれ順番に、「僕**の**買った本」「僕**の**本」「これは僕**の**だ」の「の」なのですから。用語が似ていて混乱するとよく言われる②と③ですが、今の例文で言えば、②がmy、③がmineですから、一目瞭然ですね。実は⑤も「花**の**都」といった少し古めかしい現代語には見られます。これについては、「例の（＝いつものように）」が慣用句なので覚えておくと楽ですよ。さて、残った④同格です。この用法名の見極めは厄介《やっかい》です。

世にある僧ども**の**参らぬは、無し。（『宇治拾遺物語』）

訳 世の中にいる僧侶たち**で**参上しないのは、いない。

これが正しい訳で、同格の「の」は［〜で、〜であって］と訳しておいて、その後にある連体形の下に「の」を補って訳していきます。少し訳が面倒ですね。また、見分ける際のポイントは、**「の」の上の体言を、後にある連体形（ここでは「ぬ」）の下に補うと文がきちんと訳せる場合**、ということになります。

同格の用法

〜［**体言**］**の**＋……連体形〜

入れると下へのつながりがよい

でも、先ほどの文を見て「僧ども」が「参らないことがない」、つまり「僧どもは来たんだ」と読めない人はいません。なので、たった一文で読み解けというのならいざ知らず、実際に文章の中に出てくると、たとえ文法的に間違っていても、内容は誤読しない用法なのです。安心して読み進めてくださいね。

このように、助詞を丁寧に見てくると、古文特有のもの、現代語と少しずれるもの、実は現代語にあるもの、くらいを意識しておけば充分だとわかりましたね。ほかのものは、ほとんど現代語どおりです。

今まであまり勉強したことがなかったけど、意外とカンタンでした！

助詞は、意味や使い方が現代語と異なるものを意識すれば充分だよ。

第4節 文法的識別問題の解き方

前節までに学習した「文法」をベースにして、この節では、実戦的な解法について学んでいきましょう。

識別問題って何を考えたらいいかわからなくなっちゃう。

文法的な識別は、たとえ直接に問われていなくても、現代語訳の問題に含まれていたり、文章自体を読むうえでどうしても考えなければならなかったりすることもあります。だから、その考え方と、どうしても見分けるべきものに、念のため触れておきましょう。

まずは、識別する際の手順から。

文法的識別の手順

① **直上の語で判断する。**

例 「咲か**ぬ**花。」→「ぬ」の上が**未然形**→「ぬ」は、**打消の助動詞「ず」**

「花咲き**ぬ**。」→「ぬ」の上が**連用形**→「ぬ」は、**完了の助動詞「ぬ」**

②下接する語から「識別する語」の活用形を判断する。　―①が通じない場合―

※動詞「晴る」は下二段活用なので、未然形と連用形が同じ。

例　「晴れ**ぬ**空。」→「ぬ」自体が**連体形**→「ぬ」は、**打消の助動詞「ず」**

「空晴れ**ぬ**。」→「ぬ」自体が**終止形**→「ぬ」は、**完了の助動詞「ぬ」**

③意味内容から判断する。　―①も②も通じない場合―

例　「過ぎ**ぬ**なり。」→「ぬ」が打消「ず」なら、［過ぎ**ない**のだ。］

→「ぬ」が完了「ぬ」なら、［過ぎ**たら**しい。］

識別の多くは、①で決めます。ですから、識別すべき箇所にぶつかったときの鉄則は、**「識別する語」の上を見る**です。例に出した「ぬ」で言えば、こうなります。

未然形＋「ぬ」→**打消の助動詞「ず」**　例「咲か(未然形)**ぬ**花。」

連用形＋「ぬ」→**完了の助動詞「ぬ」**　例「花咲き(連用形)**ぬ**。」

いつも、このように直上の語の活用形で判断できればいいのですが、現実にはうまくいかない場合もあります。その場合には②、要するに、**下接する語からさかのぼって、「識別する語」自体の活用形を決める**のです。

「ぬ」＝打消の助動詞「ず」の**連体形**　例「晴れぬ（連体形）←空（体言）。」

「ぬ」＝完了の助動詞「ぬ」の**終止形**　例「空晴れぬ（終止形）←」。」

日本語は、一般的に下の語が上の語の活用形を決めるので、「空」の上は連体形。連体形が「ぬ」となるのは打消なので、「晴れ**ぬ**空。」は「晴れ**ない**空。」という訳になります。また、「空晴れ**ぬ**。」は文末で「ぬ」が終止形。終止形が「ぬ」となるのは完了なので、「空が晴れ**た**。」と訳します。

「上を見てから下を見ろ」ってことですね。

そのとおり。「識別する語」の多くはここまでで判断できます。最後の最後の難関は③のパターンです。少し前後を見てみましょう。

笑ひなどして聞けば、かたはらなる所に、前駆《さき》追ふ車とまりて「荻《をぎ》の葉、荻の葉」と呼ばすれど答へざなり。呼びわづらひて、笛をいとをかしく吹きすまして、過ぎぬなり。

笛の音《ね》の　ただ秋風と　聞こゆるに　など荻の葉の　そよと答へぬ

と言ひたれば、げにとて、

荻の葉の　答ふるまでも　吹き寄らで　ただに過ぎぬる　笛の音ぞ憂《う》き

（『更級《さらしな》日記』）

姉と筆者が夜中に起きて体験した出来事を描いた場面です。自邸の隣（＝かたはらなる所）に牛車《ぎっしゃ》が止まります。「荻の葉」というのは隣に住む女性の通称。「呼ばすれど」とあるので、恋人の男は家来の「前駆」を使って呼ばせています。「答へざなり」が少し難しい表現ですが、「答ふ＋ず＋なり」が「答へざるなり」となり、その「る」が撥音便《はつおんびん》（＝「ん」のこと）になって「答へざんなり」、さらにその「ん」を書かなくなって「答へざなり」となったものです。**直上が撥音便無表記となってア段音に直結すれば、この「なり」は伝聞推定の助動詞と決まり**ますので、「（荻の葉は）返事をし・ない・らしい」と訳します。

傍線部を含む一文に入りましょう。いくら呼んでも荻の葉が出てこないので、困った恋人の男は、笛を吹きながら**「過ぎぬなり」**というのです。「ぬ」には**打消**と**完了**の可能性があります。また「なり」も、連体形接続で**断定**の助動詞「なり」、終止形接続で**伝聞推定**の助動詞「なり」、と二通りの解釈が可能です。

A「過ぎ **ぬ**（打消・連体形） なり（断定）」→「過ぎ・**ない**・のだ」
B「過ぎ **ぬ**（完了・終止形） なり（伝聞推定）」→「過ぎ・**た**・らしい」

筆者たちは、牛車や男や前駆を直接には見ていません。それは、前文の「答へざなり」が明確に示しています。したがって、ここも、聞いて判断をしている、つまり**伝聞推定「なり」と考える**べきです。後の歌でも**「ただに過ぎぬる（＝そのまま通り過ぎた）」と書かれていますから、「過ぎぬなり」の「ぬ」も完了**のほうがよい。**Bの解釈が適当**です。

こういう判断を求められる場合は、前後を丁寧に読み直す必要があります。厄介《やっかい》と言えば厄介ですが、文章を読んでいる最中であれば、意外と簡単に見えてきます。ご安心を。

第5節 単語【基本】

古文が、英語と同じように語学である以上、「文法」と同じくらいに重要な要素が**「単語」**、つまり古語の意味や訳にあたるものです。これを避けては、まっとうな得点など望めません。「単語」の勉強には、実はいくつかのコツがあるので、その話から始めましょう。

1 単語帳の使い方

単語帳を集中的にやるのは、ある程度古文を学習してからにすること。

英語の長文を一つも読まずに、単語帳だけやる、という勉強法はどうですか？ たしかに、単語を覚えれば覚えた分だけ、長文をつっかえずに読める気はします。けれど、長文に触れていないと、決定的に英単語が入らないのです。いくらか読んでいるからこそ、「ああ、この単語、この前出たな」とか「以前にもやったのに、またこの単語忘れちゃった」などの悔しさとともに飲み込めるし、そうであるからこそ覚えられるのです。

ですから、古文の勉強の最初に単語帳をやるというのはおすすめしません。単語帳なら、**夏休みに一、二度回して、冬には徹底的にやる**、というのが太田のおすすめです。もちろん、日頃の古文の学習の際に、辞書を引くなど言っているのではありません。むしろ、**普段の勉強では、辞書を使うべきだ**と考えています。辞書には、その語の原義や類語との違いについての説明も多いし、その語が訳語をたくさん持つにいたった理由（「派生」のプロセスですね）もよく載っています。こういう点では、単語帳は辞書にはかないません。だから、日頃は、今読んでいる古文に出てきた単語を辞書で調べてください。ストーリーをつかむのに必要な最小限の単語でかまわないので。その際に、解説があれば、ついでに読んでしまいましょう。このちょっとした一手間が、後々の単語の勉強を楽にしますよ。

次に大事なのは、以前に読んだ古文の文章を読み直すことです（個人的には「ネバネバ読み」と呼んでいます）。と言っても、一度読んだ文章はストーリーを覚えていることも多いものです。だから、ストーリーを思い出すのではなく、軽めに品詞分解をしては直訳を作っていくのです。書くのが面倒なら口頭でもかまいません。そして、不安なところはすぐに現代語訳で確認をしましょう。あやふやな単語を覚え直せます。復習の基本は「当日・一週間後・一ヵ月後の三回ワンセット」と言いますから、そのタイミングでやりましょう。

大学入試の古文単語は、一年間真面目に古文に向き合えばおおむね文章に出てくるコアな単語ばかりですから、出てきたものを覚えていく、というのが最も効率的なのです。

夏までにある程度（一〇〇語程度）増やしたら、時間の取れる夏休みを利用して単語帳を使います。「解説→訳語例」の順番で読みましょう。一回目は、解説を読んで訳語例を見て納得する、という形でオッケー。それでも、三つに一つは、既に知っている単語ですから、ストレスはありません。二回目は、覚えているかのチェックをしながら、という形です。そして、冬には、単語帳の目次か索引を使って、繰り返し練習をして、反応速度を上げましょう。徹底的にうろ覚えをなくすのです。本番であせるのは、知らない単語ではなく、うろ覚えの単語ですから。

あせらなくていいってことですね。気持ちが楽になりました。

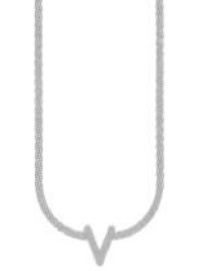

ちなみに、単語帳の選び方についても一言。古文の単語帳はどれでも掲載語の半分以上は同じです。また、上位層の大学は、多義語を中心に出題するので、特別に語彙数を増やす必要もありません。だから、解説の多いもの、自分と相性のよいものを選びましょう。「はしたなし」「ところせし」といった、ややマイナーな重要古語は、単語帳の解説の差が出やすいところです。見比べて選んでください。また、冬の使い方を考えれば、目次か索引で単語の中心的な訳語が確認できるかどうかもチェックポイントです。

2 形容詞を中心に

単語は、形容詞を中心に押さえる。

現代語と古語との語彙《ごい》面での大きな違いは、形容詞の量です。**現代語は動詞が多いのに対して、古語は形容詞が多い**と言われます。「単語帳」を見れば、載せられている語句の多くは、たしかに形容詞と形容動詞です。現代が新しいツールに応じて新しくそれを行う言葉を生み出すのに対して、古文の時代は、同じ感受性を共有している（と信じている）時代で、だからこそ、繊細な形容語の使い分けをするのだと思われます。

例えば、［優美だ、上品だ］と訳す古語には「あてなり、優なり、艶《えん》なり、なまめかし、やさし」などがあります。これは、彼らが使い分けたニュアンスが現代語にはなりにくいということです。ニヤリ。そうなんです、逆に言えば、これらは**全部同じ訳語だとまとめてしまえばいい**のです。これらの語の微細な違いを読解させるのは、大学入試のレベルではあり得ません。

ほかにも「清らなり」「清げなり」についても［美しい、華麗だ］などと訳されます。辞書などに、『源氏物語』では、超一流と一流とで「清らなり」と「清げなり」が区別されて使われている、と説明のある場合もあります。しかし、これもまた、大学入試のレベルでは不要なのです。作品が違えば、そういう繊細な使い分けは変わってしまう部分も多いですし。

どうせ後でしっかりやるから、まずはざっとイメージをつかむか、くらいの気持ちで、受験古文の難敵である形容詞・形容動詞に立ち向かいましょう。

3 「原義」を押さえる

「原義」を押さえ、どうして訳語例が「派生」するのか、そのプロセスを知る。

また、生徒からよく「単語の、いい覚え方はないですか?」とか「古語は一つにたくさんの訳があって覚えられません」などと言われます。丸暗記こそが勉強だ、などと無理していませんか？　**言葉は、もともと一つの意味があって、それが派生していろんな意味を持つようになった**のです。ですから、まず原義をつかむことから始めましょう。そして、それが多数の訳語例へと派生した「プロセス」を理解するのです。いつも生徒にアドバイスするのは**「覚える前に考えろ」**ということです。

たとえば、**「あやし」**という超重要古語があります。一般には、「不思議だ、身分の低い、粗末だ、怪しい」などと訳語が並べられます。この語で言えば、原義は**「いつもと違うものへの違和感」**なので、「不思議だ」がもともとの意味なのです。ところが、古文の書き手の多くは貴族たちですから、彼らの感覚が前面に出て、庶民を見ると「あやし（不思議だ＝私たちと違う！）」と使うのです。そのうちに「身分の低い」こと自体を「あやし」と言うようになり、また、貴族から見て庶民の持ちものはたいてい「粗末」ですから「あやし」＝「粗末だ」となったのです。また、貴族から見た庶民への「違和感」が、異質なものへの「警戒感」まで高められると、「あやし」＝「怪しい」となり、現代語へとつながるのです。先ほども述べたとおり、こういった「派生のプロセス」を辞書で確認しておきましょう。それが、「急がば回れ」式古文単語攻略法です。

問題　**次の文章は、筆者が友人の女性と清水寺へ行ったときのことを書いたもので、隣の部屋に知人の男性がいるのに気付き、いたずらをしようとする場面である。これを読んで、傍線部ア・イの現代語訳として最も適当なものを、後の①〜④のうちから、それぞれ一つずつ選べ。**

「昔見し人などの詣であへると思はせて、はからむ（＝昔の彼女がたまたま参詣していると思わせて、だまそう）」などいひて、人の多く詣でて騒がしきに、書く所もおぼえず、暗きに、硯《すずり》求めて、あやしき人して、

「京より」とて、やる。いそぎ出でて、見るなり。「あやし、あやし」と、たびたびいふなり。
（『四条宮下野集《しでうのみやしもつけ》』）

ア　①　不思議な　②　身分の低い　③　粗末な　④　怪しい
イ　①　不思議だ　②　身分の低い　③　粗末だ　④　怪しい

傍線部アを含む箇所は、「『あやしき人』を使い、『都からの手紙です』と（嘘《うそ》を）言って、送る」といった内容になります。**筆者たちが、自分たちの素性がわからないように「使い」を通して手紙を送る場面**なのですから、変人不思議な人や怪しい人を使っては相手に警戒されてしまいます。元カノのふりをしようとするのですから、変人を使いになんてしませんよね。となると、②か③か。「人」にかかることを考えると、**②「身分の低い」が正解**です。「粗末な」という言葉は「人」に使う言葉ではないし、よく考えると意味不明ですね。身分の低い人を使いとして手紙のやりとりをするのは、古文の世界ではよくあることでした。

傍線部イの後には「たびたびいふなり」とあり、「何度も言うのが聞こえる」といった内容になります。つまり、**「あやし」と言っているのは知人の男性**です。男性からすれば、参詣したお寺で、どの女性からかわからない手紙をもらったのです。お寺は勤行（仏道修行）をするところ、けっしてラブレターをもらったりする場ではありません。仏道からすれば、恋愛は悪なのですから。だからこそ、**男性は「なんで（お寺でラブレター）？」という違和感を持った**と考えられます。④「怪しい」がきわどいですが、これだと「なんか怪しいぞ」と勘づいたことになるのでダメ。**答えは①「不思議だ」です**。ちなみに、古文ではラブレターは「結び文」という形で、四季折々の植物などに結び付けるものでした。だから、見ればすぐにラブレターだとわかるわけです。

もう一つ具体例を出しましょう。

正解　ア　②　イ　①

問題　**次の文章は、『小夜衣《さよごろも》』の一節で、山里に寂しく暮らす姫君の噂《うわさ》を耳にした宮が、偶然その山里を通り、ある庵《いおり》に目をとめた場面である。これを読んで、傍線部の現代語訳として最も適当なものを、後の①～⑤のうちから一つ選べ。**

「ここはいづくぞ」と、（宮が）御供の人々に問ひ給《たま》へば、「雲林院《うりんゐん》（＝都の郊外にあった寺）と申す所に侍《はべ》る」と申すに、御耳とどまりて、宰相（＝姫君の庵へ通う女房）が通ふ所にやと、このほどはここにとこそ聞きしか、いづくならんと、ゆかしくおぼしめして、御車をとどめて見出《みい》だし給へるに、……

（センター試験）

① いぶかしくお思いになって
② もどかしくお思い申し上げて
③ 知りたくお思いになって
④ 縁起が悪いとお思いになって
⑤ 会いたいとお思い申し上げて

供の者に聞いてこの場所が「雲林院」だとわかった宮は、ここが「宰相が通ふ所」つまり姫君の住む所だと思います。続く「このほどはここにとこそ聞きしか、いづくならん」が少しわかりにくいかもしれません。「しか」

は「こそ」の結びで過去の助動詞「き」の已然形、「こそ」の結びが文中に来ると逆接となるので、「近頃はここに」と聞いたが、どこだろう」という訳になります。誰のことを言っているのか少しあいまいですが、宮の興味は宰相でなく姫君にあるので、姫君のことを言っていると考えるのが自然です。そのうえで、傍線部を考えます。話の流れからすると、姫君はどこだろうと不審に思えば①、姫君に会いたくてじれったく思えば②、姫君の所在を知りたければ③、姫君に会いたければ⑤が残ります。どれでも合いそうです。ただ、傍線部の下半分「おぼしめして」が尊敬語なので、「〜申し上げて」という謙譲語の訳をする②⑤は×。①と③の一騎打ちです。

この「ゆかし」という単語は、動詞「行く」と関連する語で、**原義は「心がそちらへ行ってしまう感じ」**です。勉強しているのに横でゲームをされたらつい気持ちがそちらのほうへと行ってしまいますよね。そういう感じです。「心ひかれる感じだ」などとまとめられます。したがって、不審感を示す①よりも、姫君の居場所に心ひかれる③のほうが適切です。なお、「ゆかし」は「見たい、聞きたい、知りたい」などと願望的に訳されることの多い語です。この機会に覚えておいてください。

正解・③

このように、単語は、訳例をむやみに覚えるよりも、原義を押さえたほうが理解しやすいし、結局覚えやすいのです。やはり「**覚える前に考えろ**」ですね。

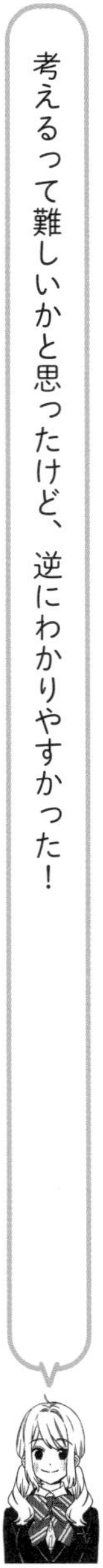
考えるって難しいかと思ったけど、逆にわかりやすかった！

第6節 単語【応用】

単語学習の基本は、もう押さえましたね。前節で述べたとおり、原義を押さえ、派生のプロセスを理解することでした。それでは、次に皆さんの前に立ちふさがる「単語」に関わる問題について、その対処法をお教えしましょう。

問題を解いていると、直訳を選んだほうがいいのか、意訳を選んだほうがいいのか、わからなくなることがめちゃくちゃ多いんです……。

「直訳か、意訳か」という受験生の多くが抱える問題が出て来ましたね。でも、「意訳」って何でしょう。

「直訳」は、辞書や単語帳に載っている訳で、「意訳」は、その部分に合う訳ですよね。

ち・が・い・ま・す！　「直訳」のほうはまあいいとして、**「意訳」とは、その語義の範囲内で文章に合わせた訳**のことです。定義ばかりでは難しくなりますから、まず、次の問題を見てください。

問題 **次の文章を読んで、傍線部の意味として最も適当なものを、後の①〜⑤のうちから、一つ選べ。**

大将殿、年若くおはして、何事もすぐれたる人にて、御心ばへもあてにおはして、昔はかかる人もやおはしけむ、この世にはめづらかに、かくわざと物語などに作り出《い》だしたらむやうにおはすれば、やさしくすきずきしきこと多くて、これかれ、袖《そで》より色々の薄様《うすやう》に書きたる文の、引き結びたる、なつかしきども、二つ三つばかりづつ取り出だして、常に奉りなどすれば、……

（立教大・改『今鏡』）

① 親切で　② 誠実で　③ 感心で　④ 優雅で　⑤ 立派で

大将殿について述べている箇所です。この人は、どの方面にもすぐれた人で、性格（＝「御心ばへ」）もよくて、のところくらいまでは読めましたか。その次の「昔はかかる人も〜」あたりからが少し読みにくく、話の内容があいまいになりそうなところです。そこに出てくるのが、この傍線部。

「やさし」はちゃんと覚えましたよ。古今異義語だから、現代語の「やさしい」ではなくて、［優美だ］と［殊勝だ］の二つです。

その記憶は単語帳レベルの知識として正しいね。でも、古語の「やさし」には、現代語と同じ［やさしい］の訳語もあるし、［(痩《や》せるほど) つらい］という訳語もあります。現代語と同じ訳は、出題されにくいというだけで、ハイレベルの問題では、現代語と同じ訳が正解になることもあります。

まとめてみると、「やさし」という古語は、次のようになります。

原義　**痩せるほどに動く心の状態**

❶（痩せるほどに心理的に）つらい
❷（痩せるほどに心配りが細やかで）優美だ、上品だ
❸（痩せるほどに配慮する下位の者が）殊勝だ、けなげだ
❹（痩せるほどに弱者への思いやりがあり）やさしい

それでは、選択肢を検討しましょう。①の「親切で」は【❹やさしい】の言い換えと見てよいでしょう。②の「誠実で」は、真心があることを指すので、一見「やさしい」に似ています。③の「感心で」は【❸殊勝だ】の言い換え。④の「優雅で」は【❷優美だ】とほぼ同じです。⑤の「立派で」は相手をほめた語なので、この文章の流れに合いそうです。

このように選択肢を見比べて、**「直訳か意訳か」と悩むのは、はっきり言ってダメです！** 現代語「誠実だ」は「嘘《うそ》をつかない」という意味ですから、必ずしも思いやりを示すとは限りません。また、「立派だ」も古語「やさし」の原義にあたる「心が動く」意味合いがないのです。この二つは、いくら文脈上入りそうに見えても、正解となることはありません。**原義から外れたものは「意訳」ではない**のです。

大将をほめてるから「立派で」だと思ったのに、違うのか……。

残りの三つのどれかが正解です。先ほど保留した直前部は「昔はこのようにすぐれた人もいらっしゃったのか

しら、今の時代にはほとんどいなくて、わざわざ物語などで創作した人物のようにすばらしい方でいらっしゃるから」という趣旨です。今で言えば、アニメやドラマの登場人物級にかっこいいというのです。だから**「やさしくすきずきしきこと」が多い**という文脈です。「すきずきし」は「風流だ、好色だ」などと訳される言葉で、風流や恋愛に強く心を惹《ひ》かれるという意味です。この語と並列されていることの意味を考えましょう。また、続く箇所では手紙がたくさん届いています。「引き結びたる」とあるのは、いわゆる「結び文」＝ラブレターのことです。ここまで来ればわかりますよね。「親切なことが多い」のでもなく、「感心だと思うことが多い」のでもなく、**恋愛という「優雅なことが多」かった**のです。

正解・④

今見てきたように、文章の流れに合いそうな選択肢に対して、「意訳かも」などと頭をムダに使わないでくださいね。**基本どおりに、それぞれの単語の原義をしっかり押さえて、まずそこで判断する**のです。あとは多少の現代語の力も必要になりますから、日頃からニュアンスの違いをしっかりかぎ分けてください。

その部分に入りそうな感じのものは、全部キープしてたから、選択肢選べなかったのか。じゃあ、やっぱり原義を押さえることがポイントなんですね。

第7節　現代語訳問題の解き方

前節までの単語の学習をベースにして、この節では、実戦的な解法について学んでいきましょう。

単語の勉強のやり方はなんとなくわかったけど、実際の問題になると、時間もかかるし、あんまり答えが合わないんですよね。

たしかに、イメージや原義は押さえていても、まだ「直訳」をしっかり頭に入れていない時期には、時間がかかるでしょうね。本当は、入試というゴール地点で得点力になっていればいいのだから、今時間がかかることは気にしなくていいよ。でも、まあ、途中で成果を得たいのもわかります。なら、どうすれば現代語訳問題を効率よく解けるのか、という実戦的な手順を教えましょう。

解き方の手順

①本文を読み始める前のチェックポイント　―軽めに―

・傍線部の中にある、重要な**文法事項**や**語句**

・**敬語**、**終助詞**（願望と禁止）、**副助詞**「だに」「さへ」

・**重要古語**（特に、古今異義語に注目）、**慣用句**

②本文を読み進めて傍線部に出合った場合のポイント　―**逃げるもアリ**―

・①で絞《しぼ》った**選択肢の吟味《ぎんみ》**

・自力で解答を作れたもの→選択肢を吟味して解答する。

　→選択肢を見て迷うなら、③へ。

※自力で解答が作れないものは、チラ見してから③へ。

③二読目に回した選択肢を吟味する。

・なるべく**広範囲に読み直して**、選択肢を吟味する。

・**ムキにならない**。

実は、現代語訳問題というのは、難易度のばらつきがある分野なのです。その大学や学部によっても差があるし、一つの入試問題の中でも、平易なものと難解なものとが混じる場合も少なくありません。だから、「現代語訳＝平易」と先入観を持つと、意外と時間がかかってしまうのです。

そこで、第一段階は**「事前チェック」**。ここは、少しでも排除できる選択肢があればいいな、という程度です。深追いは禁物ですし、結論を急いでもいけません。確実に誤答を外すことを心がけましょう。

第二段階、つまり傍線部にぶつかったときの処理の仕方のポイントは、**「迷ったら、後回しにしろ」**です。自力で答えの方向性をつかんでいるものやチラッと選択肢を見たら「あ、これだ！」とわかる場合には選択肢を選びますが、意外と迷う場合も多いのです。もしかしたら、後文の情報がないと解けない設問かもしれません。いずれにしても、選択肢を吟味すればするほど、本文の流れから目が離れるので、その時間をなるべく少なくするイメージで、わかったものだけ解くのがこの段階だと割り切ったほうが、結局効率がよいのです。

第三段階つまり二読目まで持ち越した設問ですが、これはもともと自分との相性が悪い問題なので、時間をかけたからといって解けるとは限りません。配分した時間内で終わらせる割り切りが必要です。

ボスキャラじゃなくて、雑魚《ざこ》キャラを確実に倒してレベルアップするイメージですね。

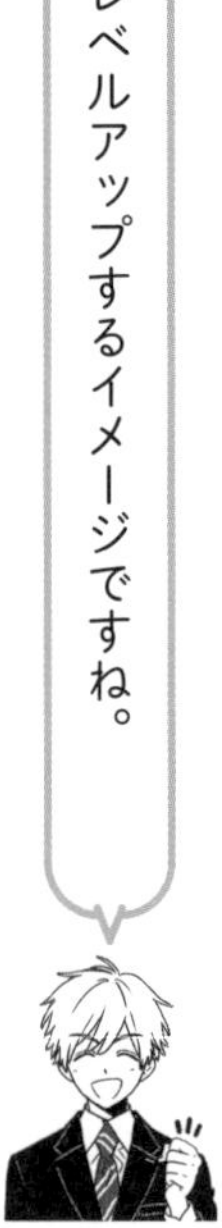

そのとおりです。では、実際にやってみましょう。

問題 **次の文章は、『恋路《こいじ》ゆかしき大将』の一節で、恋路大将が大風の吹いた翌朝に参内《さんだい》し、帝《みかど》がいるという藤壺《ふじつぼ》に向かった場面である。これを読んで、傍線部ア・イの現代語訳として最も適当なものを、後の①～⑤のうちから、それぞれ一つずつ選べ。**

なほけしき異《こと》にて気高う、匂《にほ》ひも光も類《たぐひ》なき御さまは、姫宮にこそはおはしますめれ。よろづのことに騒がず鎮《しづ》まる御心も、ただ今はいかがはあらん、深く心騒ぎして、おどろかれ給《たま》ふ。我が上の空にもの憂《う》く浮きたつ心は、この御さまなどを朝夕見奉らんにも慰めなんかし、さりとて当時（＝現在）、世の常に思ひ寄るべき御年のほどならねど、アただまぼり奉らまほしきに、「あはれ、雛屋《ひいなや》に虫のゐよかし。一つにあらば、いかに嬉《うれ》しからん」とのたまへば、二宮、「あらわろや。苔《こけ》や露も入れさせ給はば、雛のため、いかにうつくしからん」と笑ひ聞こえ給へば、げにと思《おぼ》したるさまにて、イまめだち給へる御まみのわたり、見る我もうち笑まれて、幾千代まぼるとも飽く世あるまじきに、おとなしき人参りて引き直しつれば、口惜しうて歩み

過ぎ給ふ。　(センター試験・改)

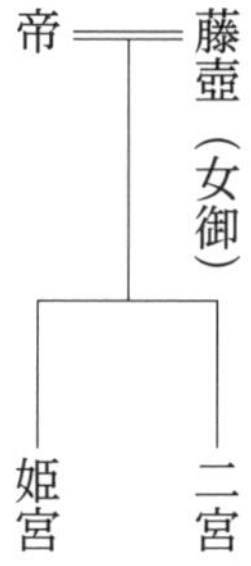

ア「ただまぼり奉らまほしきに」

① 恋路大将は二宮・姫宮の兄妹を後見していらっしゃったが
② 姫宮が雛屋を一途《いちず》に見つめ続けていらっしゃると
③ 恋路大将は姫宮をしっかりお守り申し上げたが
④ 恋路大将は姫宮をひたすら見つめ申し上げたく思っていると
⑤ 二宮は妹の姫宮を何とかお守り申し上げたいと願っていたが

イ「まめだち給へる御まみのわたり」

① 本気になっていらっしゃる御顔つき
② 正直さを表していらっしゃる御まなざし
③ 真面目《まじめ》な顔をなさっている御目もと
④ お健やかな様子がうかがわれる御表情
⑤ 懸命さを漂わせておられる眉間《みけん》の御様子

さて、「事前チェック」すべき語句はどこでしょう。**ア**だと**「まぼる」「奉る」「まほし」**、**イ**だと**「まめだつ」「給へる」の品詞分解、「まみ」「わたり」**です。このチェック箇所が同じであれば合格です。

具体的に見ると、「まぼる」は「目《ま》+守《も》る」などと説明され、単に守ることよりも「見る」ニュアンスが強く出る語です（守《まも》る意の古語は「守《も》る」です）。なので、「見つめる、見続ける、監視する」などと訳します。「奉る」は謙譲の補助動詞、助動詞「まほし」の文法的意味は願望です。「まぼる」に関しては、「守る」の③⑤が怪しいですが、当然この意味もあるので△。「奉る」では、①②が尊敬語の訳で×。答えは③④⑤のどれかです。「まほし」の訳で④⑤に絞られます。ここまでで「事前チェック」を終えます。

⑤は「守る」が現代語と同じだから、④を選べばいいじゃないですか。

たしかに、④のほうが入試っぽいですね。でも、入試の中には、現代語と同じ訳をあえて問う意地悪な設問もあります。ここでは、「主語が違うな」などと違いを押さえて、後は文章を読んで決めましょう。

ここは、「匂ひも光も類なき御さま」を見て、姫宮だと推定した場面から始まります。「よろづのことに騒がず鎮まる御心も、……深く心騒ぎして」とは、いつもは冷静沈着なのに、今回は姫宮を見て「心騒ぎ」がしたというのです。二宮は兄ですから姫宮を見て動揺はしないでしょう。リード文も含めれば、**恋路大将が姫宮を見て心乱れた場面**だとわかります。また、傍線部**ア**の直前には、「我が上の空にもの憂く浮きたつ心は、この御さまなどを朝夕見奉らんにも慰めなんかし」とあり、「この御さま」をいつも見られれば、私は自分の心を慰めることができるだろう、という内容になります。恋路大将が姫宮に惹《ひ》かれている場面です。ここまで来れば、「まぼりたい」のは恋路大将と決まります。したがって、**アの正解は④**になります。

イは、「まめだつ」が真面目な態度でいることを指すので、①③が該当します。②「正直さ」は嘘を言わないだけで必ずしも真面目とは限りませんし、④「お健やかな」は健康だの意ですから、やはり合いません。⑤「懸命さ」は必死なのであって真面目とは異なります。ただ、このあたりは厳密に分けなくても、まずは緩く④くらいが排除できればいいのです。

「給へる」はハ行四段の補助動詞「給ふ」の已然形（命令形）に、完了の助動詞「り」の連体形が付いた形なので、尊敬語で訳します。となると、④「うかがわれる」は敬語がないので×。続く名詞「まみ」は、目もとやものを見る目つきを指す語なので、③がほぼ決まり。⑤「眉間の御様子」が少し重なりそうですが、やはり眉の間に限定をかけると、合いません。こちらは「事前チェック」だけで、**イの正解は③と決められます。**

えー、すごい！ 事前チェックだけでわかっちゃうの!?

念のため文脈を確認すると、人形遊びをしながら、「その家にも秋の鳴く虫がいたらうれしい」と言う姫宮に対して、兄の二宮が、虫だけでなく苔や露も入れると、人形用の家がリアルになるという趣旨の発言をしています。その際に「げに（＝なるほど）」と思っているのが姫宮ですから、兄のからかいを真面目に受け取る幼い姫宮の様子が描かれています。傍線部イの後は、その様子を見て微笑んだ恋路大将が、ずっと見ていたかったが、年配の女房が御簾《みす》を下げたので、もう姫宮が見られなくなり、立ち去るという展開です。

正解　ア④　イ③

選択肢の実戦的な絞り方、わかりましたか？ 決めつけないことが意外と大事なのです。

第8節 第1章のまとめ

文法と単語については、ちょっとコツがつかめてきました！ でも、覚えることが多くて不安です……。

そんな君たちのために、第1章で学んだことの中から、特に重要なことをまとめておくよ。まずは、ここに書いてあることを確実に身に付けよう。

第1節 文法【用言】

用言（動詞・形容詞・形容動詞）は、古文学習の土台になる。

- 動詞は、その語の活用形（何形か）を判断できるようにする。
- 形容詞は、ク系列とカリ系列（ラ変型）とを分けて覚える。
- 形容動詞は、ラ変型の活用に、連用形「に」「と」だけがある。

第2節 文法【助動詞】

助動詞で覚えるべきことは、「文法的意味・接続・活用型」の三つ。
・過去・完了グループと、推量グループという大きな二つの時制に注意する。
・推量グループは、「む」を中心に理解する。
・「る・らる」は、訳せればよし。「す・さす」は尊敬の意味を意識する。

第3節 文法【助詞】

・接続助詞は、「(未然形＋)ば・(已然形＋)ば・とも・ども・で」がマスト。
・終助詞は、願望と禁止を中心に、訳し方を覚える。
・係助詞は、結びのパターンを覚える。(さらに、特別な用法にも注意。)
・格助詞「の」だけは、文法用語と訳し方の対応を確実にする。

第4節　文法的識別問題の解き方

文法的識別問題は次の手順で解く。

①「識別する語」の直上の語で判断する。

②下接する語から「識別する語」の活用形を判断する。

③意味内容から判断する。

第5節　単語【基本】

・古文単語は、文章で触れた古文の単語を覚えていくのが一番楽。

・単語帳は、解説（原義と派生のプロセス）を重視して選ぶ。

・直前期は、単語帳をフル回転させる。

第6節　単語【応用】

・「意訳」は、文脈に合う訳を指すのではなく、原義の範囲内の訳である。
・高得点を狙うなら、安直な古今異義語の理解は避ける。
・〈原義〉や〈派生した訳例〉と、文章の流れとの交差する箇所が単語問題。

第7節　現代語訳問題の解き方

読解前のチェックポイント　5項目
・敬語、終助詞（願望と禁止）、副助詞（「だに」「さへ」）、古今異義語、慣用句

読解中の方針
・自力で解答を作れる傍線部のみ、選択肢の吟味《ぎんみ》へ。
・残りは、二読目でサラッと解く。

第9節 主体を考えて読もう

1 「文構造」を意識する

文法もフツーに完成した。単語もまあまあやった。なのに、古文がぜんっぜん読めるようにならない！ なんていう皆さんの声を、本当によく耳にします。それは、なんにも考えずに古文を目で追っているだけだからなんです。目に付いたところだけで文章全体を作り上げようとする読み方は、しょせんインチキです（ま、たまには当たりますけど）。古文を読めるようになるために一番大事なことは、**「考えながら読む」**ことなんです。

今だって、ちゃんと品詞を分解して、きちんと訳そうと考えたりしてますけど。

そこが大きな間違い！「考えながら読む」というのは「文法を緻密《ちみつ》に確認しながら読む」のではないのです。考えるべきレベルがずれています。

文章

今は昔、竹取の翁《おきな》といふものありけり。野山にまじりて、竹を取りつつ、よろづのことに使ひけり。

品詞分解

今(名詞) は(助詞) 昔(名詞)、竹取(名詞) の(助詞) 翁(名詞) と(助詞) いふ(動詞) もの(名詞) あり(動詞) けり(助動詞)。野山(名詞) に(助詞) まじり(動詞) て(助詞)、竹(名詞) を(助詞) 取り(動詞) つつ(助詞)、よろづ(名詞) の(助詞) こと(名詞) に(助詞) 使ひ(動詞) けり(助動詞)。

現代語訳

今となっては昔のことだが、竹取の翁というものがいた。野山にまじって、竹を取っては、さまざまなことに使った。

皆さんの多くは、**「文章」**を目にして、**「品詞分解」**をして、一語ずつ現代語に変換をして**「現代語訳」**を作る。これだけが古文を読む唯一の方法だと思っていませんか？　せっかくここまで「文法」をやってきたのだから、それを使って読もうとする気持ち、よくわかります。でも、そこにこだわりすぎるのはもったいない。例えば、英語の長文を読むときに、せっかく文法を身に付けたからといって、すべての文を「文法」的に考えながら読まないはずです。逆に、読めないときにこそ、「文法」力を使って読解していきますよね。古文でもやはり事情は同じです。**「品詞分解」**にこだわりすぎると、時間内に読みきれないのです。そこでオススメするのが、**単語より一つ大きなレベル――「文構造」――を意識しながら読む**ことです。

「文構造」って何ですか？　難しそうなんですけど。

先ほどの文章を、「文構造」で図解すると、次のようになります。

今は昔、［竹取の翁といふもの］主語　［ありけり］述語。

（［翁は］主語）　［野山に］連用修飾語　［まじりて］述語、

［竹を］連用修飾語　［取りつつ］述語、

［よろづのことに］連用修飾語　［使ひけり］述語。

「翁」が「いた」。その翁が、「（野や山に）**まじって・**（竹を）**取って・**（あらゆることに）**使った」**。と少しまとめて読んでいく方法です。

例えば、「ありけり」を、

「あり」＋「けり」＝「いる」＋「た」＝いた

とする「品詞分解→現代語訳」的な読み方と比べると、その差がはっきりします。一語ずつ現代語訳を浮かべて、それをつぎはぎして訳文を作るのは、長い文章を速く読むのに適したやり方ではありません。まるで、「I can speak English.」を「私は・できる・話す・英語」と置き換えた後で、「私は英語を話せる。」と訳すようなものですよね。そういう読み方は、本当に緻密に読むべき箇所に限定し、多くの箇所は、意味のわかる自然な固まりごとに読み進めましょう。

「文構造」の分析に必要な事柄だけを簡単にまとめておけば、次のようになります。

主語…文の成分で、**「何が」「誰が」**にあたるもの。
述語…文の成分で、**「どうする」「どんなだ」「何だ」**にあたるもの。
連用修飾語…文の成分で、**「何を」「誰に」「どこへ」**などのように、**述語にかかって意味を限定する**もの。

主語（何が、誰が）→ **述語**（どうする、どんなだ、何だ）

連用修飾語（何を、誰に、どこへ、など）→ **述語**

※この本ではここから連用修飾語と言わず、**「目的語」**と呼びます。

「文構造」を捉えるとは、これらの要素で一文を理解することを指します。皆さんの慣れた「品詞分解」では、自然な意味のつながりがかえって失われてしまいます。そこで、意味のわかる最小単位である文節を理解の中心に据えるのです。ただ日本語の場合、主語が必ず書かれるとは限らないので、どちらかと言えば、述語をつかみ、その述語に対応する主語を考えたり、補ったりすることになります。一つ具体例を見ましょう。

男、かの女の**せし**やうに、**忍びて 立てりて 見れば**、（『伊勢《いせ》物語』）

古文によく見られる形の文（「複文」と言います）ですが、赤線の囲みが登場人物で、「男」「かの女」という二人が出ています。また、**赤字**が「述語」になりそうな動作です。これらを平板に眺めていてもどういう場面かよくわかりません。そこで、これを次のように頭の中でイメージしてみましょう。

主語
男（が）、

目的語
かの女 の **せし** やうに、

述語
忍びて（述語1） **立てりて**（述語2） **見れば**（述語3）、

こうすれば、「忍びて立てりて見れば」が男性の行動だと一目瞭然です。要は、「男が、ひそかに立って見ていると」という内容になり、その様子の形容が「あの女がしたように」です。このように、述語をしっかりと意識することで、失敗しない古文読解ができます。その方針を次にまとめておきます。

古文読解の方針

①**登場人物のチェック** ↓○で囲んで、その脇に「A、B、C」などと書き込む。
②**長文はブロック化** ↓「〜を、」「〜に、」「〜ば、」の下にスラッシュを入れ、そのブロック内を分析する。
③**述語の並列を見つけてから主語へ** ↓「連用形、」「連用形＋て、」「未然形＋で」は並列になる（主語が変わらない）ことが多い。
↓並列される述語は線でつないでおく。
↓主語がない場合、「A、B、C」で書き込む。

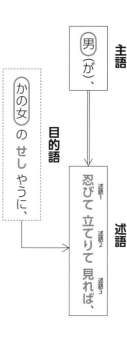

もちろん、文章が読めているときは無理に文構造を考えなくてもかまいません。でも、困ったときには、ぜひこれを使ってみましょう。**「習うより慣れろ」の精神**です。

ホントに品詞分解しなくていいんですか？

品詞分解したほうがいい文章だってもちろんあるけれど、「忍びて」を「忍び／て」と切っても、わかりやすくはならないよね。知らない単語は調べなければいけないけれど、そうでないなら「○○さんが、△△してる、ってことか」くらいで、どんどん読み進めたほうが文章の展開がわかりやすいのです。では、例題です。

問題 **次は『落窪《おちくぼ》物語』の一節で、「女君」を妻としている「中将」に別の結婚話が持ち上がったという場面である。「衛門《えもん》」は「女君」に幼いときから仕えている侍女、「母北の方」は「中将」の母である。これを読んで、傍線部の主語として最も適当なものを、後の①〜④のうちから、一つ選べ。**

「（中将の結婚は）月をさへ定めて申しはべる」と（衛門が）言へば、（女君は）心のうちには、この母北の方、強《し》ひてのたまふにやあらむ、さやうなる人のおしたてのたまはば、聞かではあらじ、と人知れず思《おぼ》して、心づきぬれど、つれなくて、のたまひやすると待てど、かけても言ひ出でたまはず。（明治大）

① 女君　② 中将　③ 衛門　④ 母北の方

夫である中将に結婚話が持ち上がっていることを女君が知る場面です。この当時は、男性が何人かの妻を持つことはよくあることでした。それは、けっして「女君」との離婚を意味するのではなく、ほかの女性とも結婚することを意味します。ただし、当然新しい女性との結婚によって、女君自身の地位は不安定になります。

さて、この問題ですが、読解のキーポイントは、**心内語の把握**です。

衛門は、中将の結婚話が単なる噂《うわさ》でなく、月日まで決まったと語ります。次に、それを聞いた女君が「心のうち」に思ったことが描かれます。あらためて「心のうちには（＝心の中では）」のかかる箇所を考えると、「考えた、思った」系統の言葉にかかることになり、具体的には「人知れず思して」の「思して」にかかるとわかります。「この母北の方、……聞かではあらじ」までが女君の心内語です（実際にかぎかっこを書き込んでみよう）。女君は、夫の母が強引にこの結婚話を進めているのかと思い、母がそこまで説得なさったら、「聞かではあらじ」と思います。これは［（母の説得を）聞かずにはいないだろう］の意で、主語は夫である「中将」です。夫が母からの説得を受け入れて別の女と結婚するだろうと、女君は思っているのです。

そこから後の文を見ると、「心づきぬれど、つれなくて」とあります。［気付いたけれど、なんでもないふうにふるまって］というのですから、ここは女君の行動です。「のたまひやすると待てど」は、係助詞「や」と連体形「する」とに気付けば［『のたまひやする』と（思って）待てど］となります。平静を装って待つのは女君。「のたまひやする」を丁寧に補って訳せば［夫は結婚の件を私におっしゃるかしら］です。結婚するのは仕方がないと割り切りつつも、それを隠さずに言ってくれるかどうかで夫の自分への気遣いの深さを測ろうとする女君の姿に気付かされます。切ない場面ですね。このように文脈をたどってみると、設問の箇所「かけても言ひ出でたまはず（＝少しも口になさらない）」の主体は見えてきます。**妻のほうは言ってくれるかと待っているのに「言わない」のは、夫である「中将」のほうなのです。**

このように、前後の文脈をたどる、言い換えれば、**述語を軸にして主語を意識することが古文の文章理解に最も重要**なのです。先の手順をしっかり身に付けましょう。

正解・②

2 敬語からのアプローチ

古文を「主語―述語」に注目して読むのはわかりましたけど、主語って省略されることが多いんですよね。

そうですね。前項でも言ったように、古文では、主語がかなり省略されます。でも、私たちの日常会話って、もっともっと主語を省略しますよね。「部活行く?」「ああ」みたいな。なぜ通じるんだろうと考えてみると、古文を読解するヒントがあるように思うのです。お互いの関係、その場の状況などでわかると思えることは省略されやすいものです。だから、古文に触れる場合にも、「省略されているから、可能性を全部考えよう」ではなくて、**「なぜ作者は省略しても主語がわかると思っているんだろう」**と考えたほうが有効です。言い換えれば、**主語が省略されている箇所は、少なくとも作者にとっては「言わなくてもわかる」と思える箇所なのです**。そこで、古文の主語が省略されやすい場合を列挙すれば次のようになります。

①**前文の主語と同じ**である場合
②主語が**主人公**の場合
※日記は、筆者が主人公なので、「私は」という主語は省略されやすい傾向があります。
③**敬語**で判断の付く場合
④**文脈や古文常識**で判明する場合

なるほど。書かれていないことがヒントになるんですね。でも、「敬語」でわかるってどういうことですか？

古文の世界は身分制社会なので、現代よりも敬語が多用されます。では、実際の文章で考えてみましょう。

問題 **次の文章を読んで、傍線部の主語として最も適当なものを、後の①～④のうちから一つ選べ。**

昔、奈良の帝《みかど》につかうまつる采女《うねめ》ありけり。顔容貌《かほかたち》いみじう清らにて、人々よばひ、殿上人などもよばひけれど、あはざりけり。そのあはぬ心は、帝をかぎりなくめでたきものになむ思ひたてまつりける。帝召《め》してけり。さて後《のち》またも召さざりければ、かぎりなく心憂《う》しと思ひけり。

（『大和物語』）

① 奈良の帝　② 采女　③ 人々　④ 殿上人など

まずは、「奈良の帝」とお仕えする「采女」の二人が出てきます。「采女」とは特別な役職にある女性ですが、ここでは、近くに仕える女性だとわかれば充分。続く「顔容貌いみじう清らにて」は、前文の主語と同じなので「采女」のことだとわかります。次に、「人々」や「殿上人なども」が「よばひ」とあります。

よばふ……［ハ行四段］❶求婚する。❷呼び続ける。

直前部に采女の美貌が書かれているので、❶求婚する、がふさわしいですね。ただ、「求婚する」というのは、今だと「付き合ってくれと申し込む」くらいの意味なので、少し軽く考えておきましょう。

話を戻すと、人々や殿上人などが采女に求婚した際に、「（よばひけれど、）あはざりけり」とは、采女が求婚されたけれど断ったと考えれば通じます。「殿上人」というのは、宮中の殿上の間に昇ることを許された一流貴族ですから、その求めに応じないのはよっぽどのことでしょう。そう思わせておいて、作者は次に「そのあはぬ心は……」と、理由を語り出します。「帝をかぎりなくめでたきものになむ思ひたてまつりける」というのがその箇所です。この文は主語がありません。でも、**采女が求婚に応じない理由の説明ですから、当然、主語は「采女」です。**

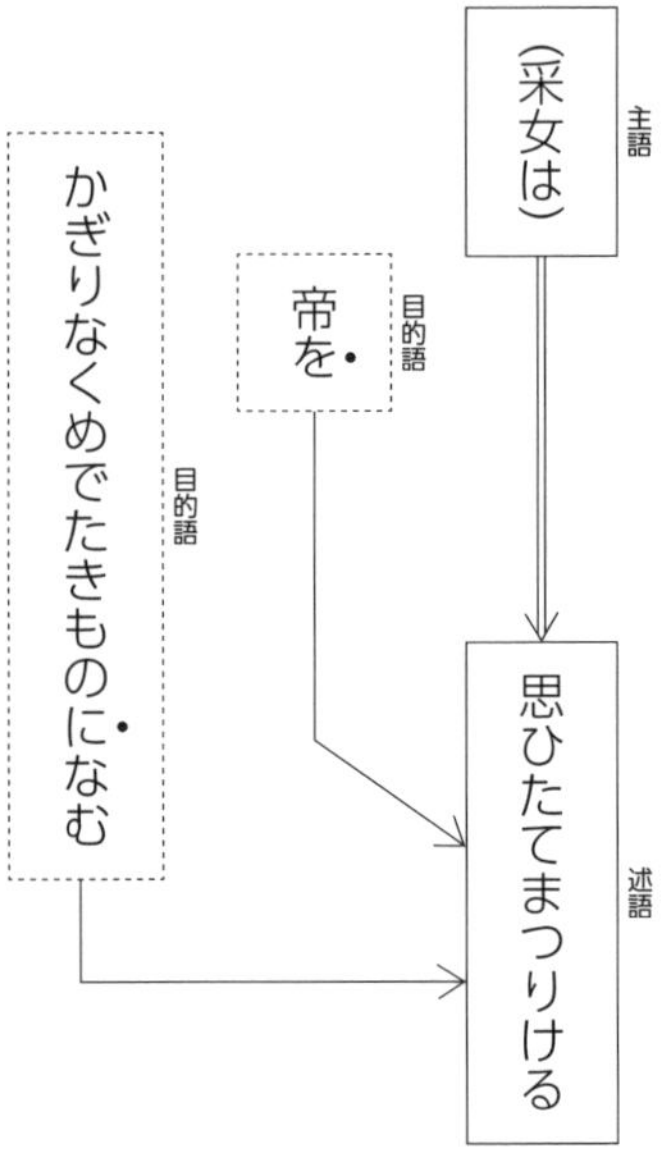

文構造を図式化すれば、このようになります。さて、ここで少し脱線しますが、敬語について確認しておきましょう。

敬語を攻略するためのポイント

①三十語程度の敬語を、それぞれ**「尊敬語」「謙譲語」「丁寧語」**と分けて覚える（☞335〜338ページ）。
②**敬意の方向**の仕組みを理解する。
③敬意の方向を利用して、**主語や目的語**を正確に捉える。

敬意の方向

①誰の（＝誰からの）敬意か

・**地の文**の場合→**作者（語り手）**の敬意

・**会話内**の場合→**発言者（＝話している人）**の敬意

②誰に対する（＝誰への）敬意か

・**尊敬語**→**主語**に対する敬意

・**謙譲語**→**目的語**に対する敬意

・**丁寧語**→**聞き手**に対する敬意

※「聞き手」は、地の文なら「読者」、会話内なら「会話の相手」

殿、　姫を　見**たてまつり**（謙譲語）**たまふ**（尊敬語）。

「たてまつり」＝作者の「姫」に対する敬意。

「たまふ」　＝作者の「殿」に対する敬意。

敬語については、まず単語を覚えないと何も始まりません。最も頻度の高い〝最〟重要古語ですから覚えてください。次は、今載せた「敬意の方向」です。これは非常にシンプルにできているので、難しくありません。主語や目的語をつかんだら、**尊敬語は主語敬い**、**謙譲語は目的語敬い**、これでいいのです（僕は、尊敬語（＝ローマ字でS）は主語（S）を敬う、と教えています）。丁寧語は文の構造に関係ないので、主語や目的語がわからなくても大丈夫、ということですね。

さて、この場面では、「采女が、帝を、思ひたてまつり《謙譲語》ける」ですから、**謙譲語は目的語敬い**、の法則で、帝への敬意だとわかります。もちろん地の文ですから、作者の帝に対する敬意です。つまり、作者は帝へ敬意を払っているのだとわかります。続く文では、「帝召して」とありますが、こういうのも初心者のうちは、怖いですよね。「帝が召す」のか、「帝を召す」のか……。でも、大丈夫！　敬語がわかればカンタンです。

召す……［サ行四段］❶お呼びになる。❷取り寄せなさる。❸召し上がる。❹お召しになる。❺お乗りになる。

このように、「召す」は尊敬語です。ということは、**尊敬語は主語敬い**（Sは Sを敬う）、の法則で、敬われている人を主語にします。つまり、「帝」を主語にすればいいのです。「帝が（采女を）お呼びになった」というのが正しい。念のために言っておきますが、この場面は恋愛（＝結婚）が話題なのですから、この場合の「呼ぶ」も二人が関係を持った（＝デートした）、と理解してくださいね。

続く箇所も「またも召さざりければ」と尊敬語が使われているので、「（帝が）（采女を）お呼びにならなかったので」となります。さて、その次が傍線部「かぎりなく心憂しと思ひけり」です。「憂し」は憂鬱《ゆううつ》の憂が当てられるように、つらい気持ちを指す語ですから、傍線部は、「この上なくつらいと思った」という内容になります。

さて、「帝がつらいと思った」のか、「采女がつらいと思った」のか、どちらがいいでしょう？ ここでも、敬語を使いますよ。

帝が呼べなくてつらいなあと思うこともありそうだし、呼ばれなかった采女でもよさそうだし、ここちょっとわかりづらいですよね。でも、ここに敬語ないですよね？

たしかに、敬語はありません。それを利用するという敬語理解の最終奥義のような手を使います。**もし帝が主語なら、今までどおりに尊敬語を使う可能性が高い**ですよね。そうであれば、「思ひけり」ではなくて、「思《おぼ》しけり」あるいは「思し召しけり」などとなります。ところが、ここは**主語敬いなしの「思ふ」**なのです。だからこそ、**主語は敬意を払われない人物、つまり采女**とわかります。

正解・②

敬語を使って主語を考える方法、わかりましたか？「わかったけど、次もできる気はしないなあ」なんて弱音を吐いているそこの君！ すっとできるようになるまで、何度も何度も、触れた古文で考えるんです。一度聞いて理解して、次からすぐに使える、なんて優秀な人はそうたくさんはいませんよ。**「千里の道も一歩から」**。どんどんやってみましょうね。まずは尊敬語についてできるようにしていきましょう。

3 男女の行動の差からのアプローチ

さて、述語をつないで主語を考えるという読み方や、敬語を使って主語をつかむ方法についてはわかりましたね。ほかにもまだ、主語を読み解けるヒントはありますので、ここではそれをお教えします。それは、**「男と女は違う」**ということです。

え!? ちょっと、……先生、そんなこと言っていいんですか？

現代の問題として男女差別はあるべきだと言っているのではありませんので、ご安心を。古文の世界には、その世界なりの男女別の役割のようなものがあると言っているのです。この点を考えずに異文化を理解することはできませんし、その表れである古文など読めるはずもありません。とは言うものの、そのすべてを教えるなどということはもちろん僕の手に余ることですし、教わる皆さんにとっても覚えることが細かくなりすぎてけっして効率的とは言えません。そこで、頻出する恋愛（＝結婚）関係に関して少しまとめておこうと思います。

古文の世界の恋愛（＝結婚）

恋愛（＝結婚）の常識

大前提 **一人の男（夫）が多くの妻妾《さいしょう》を持つ**結婚形態。

夫婦別居の場合が多く、男性は女性のもとへ夜の間だけ通う。（＝**「通い婚」**）

恋愛（＝結婚）の始まり

1男性は、気になった女性に連絡を取る。

※手紙の取り次ぎは女性に仕える**女房**などが行う。

①女性は、最初のうちは無視する。

2男性は、返事が来なくても手紙を送り続ける。

②女性は、始めは女房などの代筆した手紙、次に本人の書いた手紙、の順で返信する。

3男性は、女性のもとに通うようになる。

※このほかにも、たまたま女性の姿を見かけて恋が始まるパターンもあります。

恋愛（＝結婚）中の作法

・男性は、デートの終わった翌朝、帰宅後すぐに女性へ手紙を送る。（＝「**後朝**《きぬぎぬ》**の文**《ふみ》」）

恋愛（＝結婚）の終わり

・男性が、女性のもとに長い間通わなくなる。

女性の生活とたしなみ

①筆跡・和歌・楽器（弦楽器のみ）の教養がある。

②顔を見られることを避ける。

③庭や廊下にも出ず、部屋の奥にいる。

④自邸からほとんど外出しない。（神社や寺院への参詣は別）

男性の生活とたしなみ

1筆跡・和歌・漢詩・楽器（管弦楽器の両方）の教養がある。

2午前中に仕事を終え、あとは自分の時間。

問題 **次の文章を読んで、傍線部の主語として最も適当なものを、後の①・②のうちから選べ。**

昔、男ありけり。女のえ得《う》まじかりけるを、年を経てよばひわたりけるを、からうじて盗み出でて、いと暗きに来けり。

（『伊勢《いせ》物語』）

① 男　② 女

さて、この問題を、男と女という視点から解いてみましょう。冒頭に「男」が出てきます。続けて「女」が出てきます。ここまでは順調です。しかし、読み進めると、急にわかりづらくなりますね。

女のえ得まじかりけるを、年を経てよばひわたりけるを、からうじて盗み出でて、いと暗きに来けり。

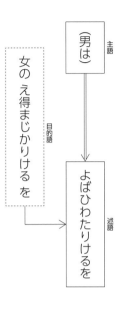

ぜんぜんわかんない！

「〜を」という形が二回も出てきますし、その箇所の主語も、「女」なのかどうか……。「え得まじかりける」は、「得ることができそうになかった」と訳せても、話が通じません。それでも続く箇所に目を向けてください。「年を経てよばひわたりけるを」とありますが、注目すべきポイントは「よばひ」です（☞81ページ）。ここでは「わたる」という補助動詞が付いて**「ずっと求婚する」**意です。先に述べたように、**当時の恋愛は男性側から申し込む**のでしたね。だから、**「よばひわたりける」の主語は「男」**となります。

主語 （男は） → 述語 よばひわたりけるを

目的語 女の え得まじかりける を → よばひわたりけるを

こうなると、「女のえ得まじかりけるを」は全体で目的語となります。「女が得ることができそうになかったのを」となると、「求婚」と合いません。ところが、「女の」の「の」を同格でとってみると、「女性で、手に入れられそうになかった女性を」となり、なかなか口説き落とせなかった女性に対して、男性が求婚したという文脈が作られます。ここまで来ればもう大丈夫。その後の**「盗み出でて」「来けり」**は、男性が女性を口説き落とせないので、**強引に奪って逃げた**、という展開なのでした。

正解・①

このように、男女の行動の差に敏感になると主語が読み解ける場合もあります。日頃から、意識しておきましょう。

さらに、この視点は、次のような語句の解釈の問題にも関わります。

問題 **次の文章は『松陰中納言物語《まつかげちゅうなごんものがたり》』の一節である。東国に下った右衛門督《うえもんのかみ》は下総守《しもうさのかみ》の家に滞在中、浦風に乗って聞こえてきた琴の音を頼りに守の娘のもとを訪れ、一夜を過ごした。以下の文章はそれに続くものである。これを読んで、傍線部の現代語訳として最も適当なものを、後の①～⑤のうちから一つ選べ。**

つとめて、御文やらせ給《たま》はんも、せん方のおはしまさねば、<u>いと心もとなくて過ぐし給ひける</u>に、主人のまゐり給うて……、

（センター試験）

① そんなに気にも留めずに見過ごしていらっしゃった

② たいそう気をもんで時を過ごしていらっしゃった

③　ひどく不安に思ってそのままにしていらっしゃった
④　それほど楽しくもないまま過ごしていらっしゃった
⑤　たいへんぼんやりと日を送っていらっしゃった

まずは、傍線部より前の部分を解釈していきましょう。「**つとめて**」とは【**翌朝**】のことを指す頻出の名詞。ここでは、滞在先の娘と結ばれた翌朝ということになります。続く「御文やらせ給はんも」の箇所ですが、「せ給は」の「せ」（助動詞「す」）は**尊敬**でとれます（☞37ページ）。「んも」は助動詞「む（ん）」と助詞「も」の組み合わせですが、この「む（ん）」は文中なので**婉曲**で処理します（☞28ページ）。全体は、【**お手紙をお送りになるような場合も**】と訳せます。主語はありませんが、リード文と先に挙げたまとめの「後朝の文」を当てはめれば、**右衛門督**とわかります。彼は、古文の恋愛のマナーとして「後朝の文」を守の娘に送ることを考えているのです。ところが、続く箇所（「せん方のおはしまさねば」）では、「するような手立てがおありでないので」と書かれています。たまたま訪れた邸《やしき》にいるので、その邸の娘に手紙を届けてくれるような知り合いの女房などいないのです。つまり、**マナー違反を犯してしまいそうなのです**。その際の心境が傍線部で語られています。

心もとなし……［ク］ ❶待ち遠しい、じれったい。❷気がかりだ、不安だ。❸はっきりしない、ぼんやりしている。❹不十分だ。

重要古語「**心もとなし**」ですが、心の抑制がきかずにソワソワと**落ち着かない様子**です。ソワソワという現代語は「待ち合わせしてソワソワ」のように、ちょっとした苛立《いらだ》ち（❶）と不安（❷）とがないまぜになった心情ですね。あれが「心もとなし」なのです。**手紙を届けられなくてソワソワしているのです。**今だと、LINEがつながらず焦っている彼氏の姿ですね。これで右衛門督の心境はつかめました。しかしながら、この設問にはもう一ひねりあるのです。選択肢を見ると、訳例に明示されてもいる③「不安に」が目に付きます。でも、この場面に合わせた場合、手紙を出したいのに出せない右衛門督が急に「不安」になるのは不自然ですね。それよりは、**「心配で気になって仕方がない」＝「気をもむ」**のほうが合致します。

正解・②

だんだんイメージできるようになってきました！

このように、男と女という視点を手に入れると、古文の世界が見えてきます。古文に恋愛ネタは多いので、慣れるとかなり有利です。

昔の女の子は、好きな男の子に自分からアプローチするチャンスもなかったんだよ。

第10節 つながり方に注意しよう

前節では、「単語」より**「文節」のレベルを意識することが文章を読解するのに重要だ**、という話をしました。

本節では、**文節同士のつながり方**に注目することで、速読力を高めていきましょう。

1 仮定条件・確定条件

まずは、この問題を考えてみてください。

問題 **次の文章では「さるべき上達部」の箇所からかぎかっこが始まっているが、その発言の終わりはどこか。**

（藤原済時《ふじわらのなりとき》は、）御甥《をひ》の八宮《はちのみや》（＝永平《ながひら》親王）に大饗《だいきやう》（＝八宮主催の宴会）せさせたてまつり給《たま》ひて、上戸《じやうご》（＝酒豪）におはすれば、人々酔はして遊ばむなどおぼして、「さるべき上達部《かんだちめ》達とく出《い》づるものならば、しばしなど、をかしきさまにとどめさせ給へと、よく教へ申させ給へりけり。

（『大鏡』）

発言の終わりを見つける問題ですから、**会話の終わりを指す場合によく使われる「と」「とて」「など」を探す**

というのが鉄則です。ここには、「しばし**など**」、「とどめさせ給へ**と**」と二箇所あります。どちらが発言の終わりなのかを考えるにあたって、「出づるものならば」という**仮定条件**に注目することができれば、答えは見えてきます。

仮定条件

〈仮定条件句〉		〈結果の想像など〉＝未来表現
未然形＋**ば**、 **形容詞の連用形**＋**は**、 **未然形**＋**ずは**、	⇩	**む**。 **べし**。 **（命令・禁止）**。 など
[もし〜(でない)なら、	⇩	…だろう、…しよう、…しなさい、…するな]

仮定条件句とは、あることを想像している条件句ですから、それを受ける部分には「もし〜なら、…**だろう**」と**想像した結果**が来るのが一般的な形です。「〜なら、…**しよう**」という意志の表現も充分にあり得ます。さらには、「〜なら、…**しなさい**」や「〜なら、…**するな**」という**命令**や**禁止**の表現もあり得ます。これらの表現は、この先に起こるであろうことをイメージしているという意味で、**未来表現**と呼べます。考えてみれば当たり前のことですが、「もし〜なら」という条件句は、こうした受ける部分と呼応するのです。

ですから、この答えは、「出づる もの なら《断定・未然形》 ば《助詞》」という仮定条件句と呼応する表現として、命令の「とどめ

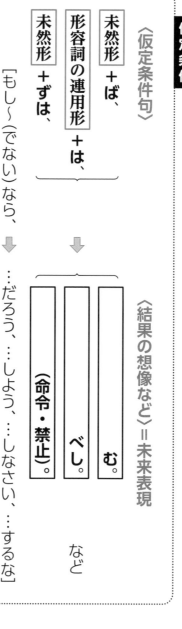

させ給へ」が適切です。［その場にいるべき上達部たちがすぐに宴席を出て行くのなら、『ちょっと（待て）』などと言って、風流に引き留めてください］というのが発言の内容になります。

正解・とどめさせ給へ

「未然形＋ば」を仮定条件って言うのは知ってたんですけど、続く部分まで一気に考えるんですね。

そうだね。**条件句を受ける未来表現まで一気に見る**クセが付くと、文章を鷲《わし》づかみにできて、速読力がアップすることは間違いなしです。

さて、では、さっきの文章でもう一問。

問題 **「上戸におはすれば（＝済時は酒豪でいらっしゃるので）」がかかる箇所は次のどこか。**

① 遊ばむ　② おぼして　③ 教へ申させ給へりけり

あれ？「おはすれば」の「おはすれ」はサ変の已然形だから、仮定条件じゃないですよ。

そのとおり。ここは仮定条件句の復習ではなく、原因句に注意を払ってもらおうという意図です。原因理由を示す典型的な表現は「已然形＋ば」ですが、ほかにも次のような場合があります。

確定条件

〈原因理由を示す確定条件句〉＝原因句

已然形＋ば、
連用形＋て、
連体形＋を、に、

ただし、「連体形＋を」や「連体形＋に」は、因果関係を示す確率は低いので、ここから抜いてもかまいません。意外と見落としているのは、「**連用形＋て**」の場合です。現代語で考える場合に、「徹夜して、眠い。」なんて言うと、完全に因果関係を指しますよね。古文でも同じです。このあたりを意識していきましょう。

さて、この文章に戻ると、全体の文構造は次のようになります。

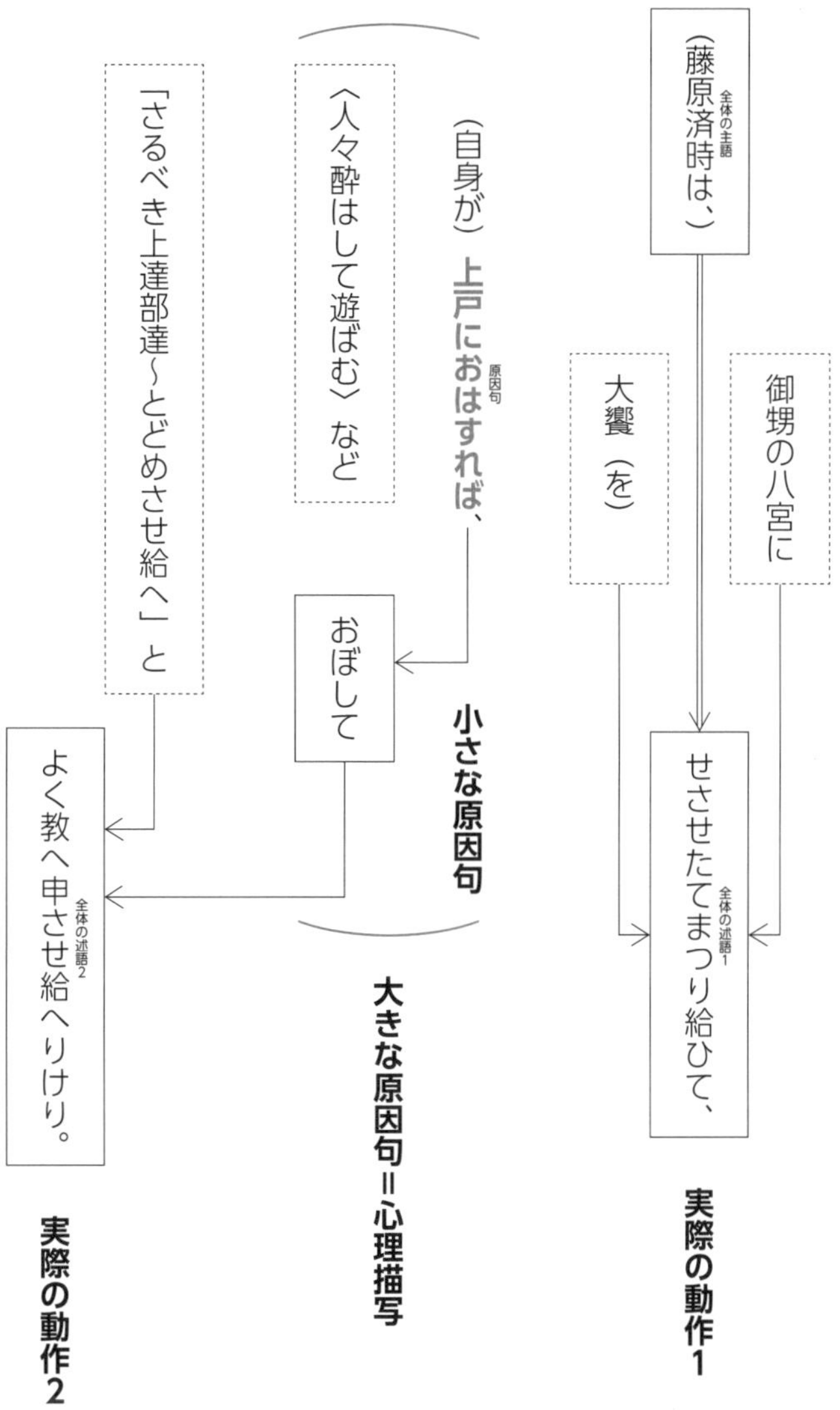

こう見ると、「上戸におはすれば」がどこにかかるのかは明らかですね。自身が酒好きだったから、ほかの人も飲み続けさせようと**考えた**のです。

正解・②

この「大きな原因句」が、甥の八宮に引き留めるための方策を教える、という「全体の述語2」を導くのです。

この図式を見てわかるように、**〈心理〉と〈行動〉というレベル差**を考えると、文章はぐっと立体化して読みやすくなります。極論すれば、**文章で〈心理〉を描くことの意味は、次の〈行動〉の原因であることを示すため**だからです。

でも、「已然形＋ば」って、訳がいろいろありましたよね？　ちょっと混乱してきました。

では、ここで、あらためて、確認しておきましょう。太田が、ブロックの切れ目としておすすめする、「已然形＋ば、」「連体形＋を、」「連体形＋に、」という接続助詞の訳し方です。

切れ目の訳し方

已然形 ＋**ば、**
- ①「～ので、～から、」**原因・理由**
- ②「～（し）たところ、～（する）と、」**単純接続**

連体形 ＋**を、**
連体形 ＋**に、**
- ①「～ので、～から、」**原因・理由**
- ②「～（し）たところ、～（する）と、」**単純接続**
- ③「～けれど、～のに、」**逆接**

次の二つの文を見比べてください。

A　雨降れば、外に出でず。

B　雨降れば、琴を弾く。

どちらも、「已然形＋ば」の確定条件句ですが、ここまででは どう訳すのかを決定できません。下のブロックを読んで初めて決まるのです。Aは「雨が降るので」のほうが自然な訳ですし、Bは「雨が降ったところ」などが自然です。「已然形＋ば」は、下のブロックを読んでさかのぼらないと訳せないのです。だからこそ逆に、「已然形＋ば」でいったんブロックを切ってしまえ、と太田は言うのです。どうせ下を読んでからでないと、正しい解釈はできないし、「雨が降る。外に出ない。」と二つのブロックがわかれば、つなぐ訳は自然にできますからね。

「連体形＋を、」「連体形＋に、」も同じです。

そうか。下を読まないとわからないんですね。そこまでで訳そうとしていたから、いつも困ってたんだ。

逆転の発想で、一度切ってしまえばいいのです。ちなみに、今説明していた「原因句」の件にからめて言えば、次のように書き込み方を分けておくと読みやすいですよ。

A　雨降れば、／外に出でず。……原因句の場合、スラッシュの横に下向き矢印を入れておく。

B　雨降れば、／琴を弾く。……単純接続はこのまま。

問題 **次の文章は、『今昔物語集』の一節である。京で暮らす男が、ある夜、知人の家を訪れた帰りに鬼の行列を見つけ、橋の下に隠れたものの、鬼に気づかれて恐れおののく場面から始まる。これを読んで、後の問いに答えよ。**

男、「今は限りなりけり」と思ひてある程に、一人の鬼、走り来たりて、男をひかへてゐて上げぬ。鬼どもの言はく、「この男、重き咎《とが》あるべき者にもあらず。許してよ」と言ひて、鬼、四五人ばかりして男に唾《つはき》を吐きかけつつ皆過ぎぬ。

その後、男、殺されずなりぬることを喜びて、心地違《たが》ひ頭《かしら》痛けれども、念じて、「とく家に行きて、ありつる様をも妻《め》に語らむ」と思ひて、急ぎ行きて家に入《い》りたるに、妻も子も皆、男を見れども物も言ひかけず。また、男、物言ひかくれども、妻子、答へもせず。しかれば、男、「あさまし」と思ひて近く寄りたれども、傍《かたは》らに人あれども、ありとも思はず。その時に、男、心得るやう、「早《はや》う、鬼どもの我に唾を吐きかけつるによりて、我が身の隠れにけるにこそありけれ」と思ふに、悲しきこと限りなし。我は人見ること元のごとし。また、人の言ふことをも障《さは》りなく聞く。人は我が形をも見ず、声をも聞かず。しかれば、人の置きたる物を取りて食へども、人これを知らず。かやうにて夜も明けぬれば、妻子は、我を、「夜前《やぜん》、人に殺されにけるなんめり」と言ひて、嘆き合ひたること限りなし。

（センター試験）

問　傍線部「悲しきこと限りなし」とあるが、男がそのように感じた理由として最も適当なものを、次の①～⑤のうちから一つ選べ。

①　とくに悪いことをした覚えもないのに、鬼に捕まって唾をかけられるという屈辱を味わったから。

② 鬼に捕まって唾をかけられた後でひどく頭が痛くなり、このままでは死んでしまうと思ったから。
③ 鬼から逃げ帰ったところ妻子の様子が変わり、誰が近くに寄っても返事をしなくなっているから。
④ 自分の姿が、鬼に唾をかけられたことで周りの人々には見えなくなっていることに気づいたから。
⑤ 夜が明けても戻らなかったため、自分が昨夜誰かに殺されてしまったと妻子が誤解しているから。

文章も選択肢も長いです〜。

大丈夫、大丈夫。長い文章のほうが、ストーリーはつかみやすいからね。さあ、頑張ろう。

リード文に続く第一段落では、「今は限りなりけり（＝今はもう人生の終わりだ）」と思った男が、なぜか鬼から唾を吐きかけられただけで、命拾いをする場面が描かれています。①の選択肢はこの事実と合致します。また、第二段落では、「頭痛けれども、念じて（＝頭が痛いけれど、がまんして）」男が帰宅します。②の選択肢はここと対応します。ところが、「妻も子も皆、男を見れども物も言ひかけず（＝妻も子どもも、男を見るが何も声をかけない）」とあるように、家人たちから無視されます。ここに対応したのが③の選択肢です。その後男は家人たちに近寄りますが、そばに人がいると思っていない様子です。そこで男が理解した内容がかぎかっこの中に書かれています。「早う、鬼どもの我に唾を吐きかけつるによりて、我が身の隠れにけるにこそありけれ」。「早う」は詠嘆の「けり」と呼応して、「なんと〜（だったのだなあ）」などと訳す副詞。この箇所は「なんと、鬼たちが私に唾を吐きかけたことで、私の体は見えなくなったのだなあ」の意です。この内容が④の選択肢です。⑤の選択肢は、傍線部の後、夜が明けても帰らない男を、家人たちが「人に殺されにけるなんめり（＝誰かに殺されてしまったようだ)」と嘆く場面を踏まえています。
　このように、選択肢で本文中の事実を並べられた場合、事実誤認をチェックするやり方では正解を導けません。本項のテーマを理解した皆さんはもうおわかりのように、**正解は④です。傍線部の直前に「『〜』と思ふに、」と、「連体形＋に」の原因句を抱えています**からね。その箇所を訳した選択肢を選べばいいわけです。理由説明の問題の場合には、まず原因句を探してみましょう。

正解・④

2 逆接

つながり方への着目が、速読力をアップさせるのに効果があるということはわかりましたね。今回は、**「逆接」**を扱います。

問題 **次の文章に傍線部「かうやうのこと」とあるが、どういうことか。この内容を具体的に十字以内で記せ。**

七日《なぬか》。今日、川尻に船入《い》りたちて、漕《こ》ぎのぼるに、川の水干《ひ》て、悩み煩《わづら》ふ。船ののぼること、いと難《かた》し。かかる間に、船君《ふなぎみ》の病者《ばうざ》、もとよりこちごちしき人にて、かうやうのこと、さらに知らざりけり。かかれども、淡路専女《あはぢたうめ》の歌にめでて、都誇りにもやあらむ、からくして、あやしき歌ひねり出《い》だせり。

（『土佐日記』）

※川尻……河口。　船君の病者……病人である船の主人、紀貫之《きのつらゆき》のことを指す。
淡路専女……前日、都が近づいたことを喜び、歌を詠んだ老女。

『土佐日記』の終わりに近い、都近くの場面です。貫之の一行は川をさかのぼる形で京都へと向かいます。ところが、川の水量が少なく、なかなか船は進みません。問いの一文はこの直後にあります。「こちごちし」とは、無風流で洗練されていないさまを指し、［武骨だ、無風流だ］などと訳します。あまり見かける単語ではありません。類義語**「こちなし**（＝**無作法だ、無粋だ**）」のほうが覚えておくべき古語です。「さらに」は打消と呼応して［まったく］などと訳す副詞。この一文を訳すと、［こんなときに、病人である船の主人は、もともと無風流な人で、こういうことは、まったく知らなかった］となります。

この訳を見ても、「こういうこと」の内容がよくわからないんですけど……。

そうですね。実は、指示内容を探そうと思ってその前を見てもうまく当てはまるものがないのです。［病気のことを知らなかった］でも合わないし、［船が難航していることを知らなかった］も不自然です。そこで、後ろへと目を向けてみましょう。**直後に「かかれども（＝こうではあるが）」という逆接の表現があります**。続く部分は、「めづ」が［感動する］の意、「都誇り」は都が近づき元気になること、「からくして」は、［かろうじて、やっとのことで］の意、「あやし」は、ここでは［みすぼらしい］の意です。つまり、［淡路専女の歌に感動して、都が近づき元気になったのだろうか、やっとのことで、みすぼらしい歌をひねり出した。］という訳になります。

船主は、「かうやうのこと」をまったく知らなかった。けれど、船主はなんとか歌を詠んだ。

この文脈が見えると、「かうやうのこと」をまったく知らなかったとは、下文にある「歌を詠んだ」と逆接されるような内容となりますから、**正解は、「歌を詠むこと」**（6字）となります。逆接への着目が解答を導きます。

正解・歌を詠むこと

逆接が読解のポイントなのはわかりましたけど、指示内容が後ろにあるって、ズルくないですか？

そういう入試問題もあるので、きちんと読むことが大事ですね。続いて、文章を大づかみにする逆接の文脈について、もう一つお教えしましょう。

まずは現代語の例で考えますよ。例えば**「雨が降っているけれど、傘を差さなかった。」**という文について考えてみます。これはこれでわかるのですが、今ひとつ状況が見えてきません。でも、**「雨が降っているけれど、たいした雨ではなかったので、傘を差さなかった。」**とか、**「雨が降っているけれど、ぬれたい気分だったので、傘を差さなかった。」**とか、**「雨が降っているけれど、好きな女の子が見ているので（かっこつけて!?）、傘を差さなかった。」**とか、このように逆接関係の間に原因句を入れると、状況や心境がリアルに迫ってきます。考えてみれば、**逆接というのは、前後のつながりが不自然になっているところなので、その間に原因句が入ることで、**

私たちにも読みやすくなるのです。というわけで、文章を素早く大づかみにするためのポイントは、こういうことになります。

逆接関係

逆接　原因句（〔〕でくくっておく）　承《う》け

～**已然形**＋ど(も)、〔……**已然形＋ば**〕、⇩ ～～～

（逆接関係）

まことしくは覚えねども、**人の言ふ事なれば**、さもあらんとてやみぬる人もあり。（『徒然草《つれづれぐさ》』）

訳 本当だとは思えないけれど、その人が言うことであるから、そうなのだろうと思って終わりにする人もいる。

これは、他人の嘘《うそ》を聞いたときの反応について書かれた文です。ここでも、「本当だとは思えないけれど、そうなのだろうと思う」というのが逆接関係で、その間に原因句が入っています。人柄がいいというか、よすぎる人だとよく伝わってきます。このように、この文脈は文章の端々に見られます。揺れ動く心理を描いた場面などは、ここを押さえることでブロックごとに把握できるので、ずいぶん読みやすくなります。

初めて聞きました。これからは逆接後の原因句にしっかり注目します！

問題 **次の文章は、『源氏物語』の「薄雲《うすぐも》」の一節である。冷泉帝《れいぜい》は、母藤壺《ふじつぼ》の死後、実の父が桐壺帝《きりつぼ》ではなく、桐壺帝の皇子で今は臣下として政治を補佐している光源氏であるという出生の秘密を知らされて、悩み苦しんでいた。これを読んで、後の問いに答えよ。**

常よりも黒き御装《よそ》ひにやつし給《たま》へる御容貌《かたち》、違《たが》ふところなし。上も年ごろ御鏡にも思《おぼ》し寄ることなれど、聞こしめししことの後は、またこまかに見奉り給ひつつ、ことにいとあはれに思しめさるれば、いかでこのことをかすめ聞こえばやと思せど、さすがにはしたなくも思しぬべきことなれば、若き御心地につつましくて、ふともえうち出《い》で聞こえ給はぬほどは、ただおほかたのことどもを、常よりもことになつかしう聞こえさせ給ふ。うちかしこまり給へるさまにて、いと御気色ことなるを、かしこき人の御目にはあやしと見奉り給へど、いとかくさださだと聞こしめしたらむとは、思さざりけり。

（センター試験）

※黒き御装ひ……喪服のこと。冷泉帝は母の喪に服している。
上……冷泉帝のこと。
さださだと……はっきりと。

問　傍線部「いかでこのことをかすめ聞こえばや」からうかがわれる冷泉帝の心情の説明として最も適当な

ものを、次の①〜⑤のうちから一つ選べ。

① 藤壺の遺言に従って退位に反対する光源氏に、自分が帝位にとどまることがいかに道理に反しているかを納得してもらいたいと思っている。

② 光源氏と藤壺が密通して桐壺帝を裏切っていたことに大きな衝撃を受け、子としての立場から、光源氏にその経緯を問いただしたいと思っている。

③ 光源氏が実の父だと知ったことを光源氏にほのめかすことによって、子としての思いを伝え、親を臣下としている罪悪感をわかってほしいと思っている。

④ 光源氏と自分の顔が似ているので以前から光源氏が実の親だと気がついていたが、言い出せないままになってしまったことを、光源氏に対して申しわけなく思っている。

⑤ 桐壺帝が亡くなった後も、光源氏が親子の愛情よりも秘密を守ることを優先して、自分こそ実の父だと打ち明けてくれなかったことを悲しく思っている。

一部の抜粋なので、この部分からは読み切れないこともありますが、まずは傍線部の解釈から。「いかで」は、一般に［どうして、どうやって］などと訳す副詞ですが、**下に意志や希望の語が来ると［どうしても］**と訳します。ここでは下に自己の願望を示す終助詞「ばや」があるので、こちらの意味でとります。「かすめ言ふ」という複合動詞があり、［それとなく言う、ほのめかして言う］という意味なのですが、その謙譲語版がここの「かすめ聞こゆ」です。ですから、傍線部全体は、**［どうしてもこのことをほのめかして申し上げたい］**と訳せます。となると、次の課題は「このこと」の指示内容ですね。さて、前後の文脈をたどってみましょう。

（冷泉帝は）「いかでこのことをかすめ聞こえばや」と思せど、

［さすがにはしたなくも思しぬべきことなれば、
若き御心地につつましくて、］原因句
→ふともえうち出で聞こえ給はぬほどは、

ただおほかたのことどもを、常よりもことになつかしう聞こえさせ給ふ。

冷泉帝は、「このこと」をほのめかしたいと思うのだけど、実際には「ふともえうち出で聞こえ給はぬ（＝少しも（「このこと」を）口にいたすことがおできにならない）」のです。その間に**原因句**があり、まず小さな原因句として「さすがにはしたなくも思しぬべきことなれば」があります。ここは「思す」という尊敬語や「ぬべし」という推量の表現があることから、**主語は光源氏**とわかり、「そうはいっても光源氏がいたたまれなくお思いになるだろうから」と光源氏の気まずさを想像しています。続く箇所は「若き御心地につつましくて」。「若き」とあるので、これは**冷泉帝の心境**のこと。「つつまし」は遠慮の気持ちを表す語なので、「（冷泉帝の）お若いお心の中では遠慮してしまうので」などと訳せます。全体としては、**光源氏の気まずさに遠慮したので**、というのがこの原因句です。

文脈を押さえ直してみると、「このこと」を言いたいと思っていた冷泉帝ですが、それをほのめかしたときの光源氏の気まずさに遠慮して、何も口にできないでいるということです。光源氏が気まずく思うようなことを「このこと」の内容と見ればよいので、「光源氏が実の父だと（自分が）知ったこと」というのがふさわしいですね。こういう文脈を踏まえた選択肢を探せば、**正解は**③です。④は少し近いですが、「言い出せないことを申しわけなく思う」のは誤りです。申し訳なくて言い出せないなら、正解に限りなく近いけれど。

正解・③

「逆接＋〔原因句〕＋逆接の承けの部分」という文脈がつかめると、長文の理解力が付いてきます。

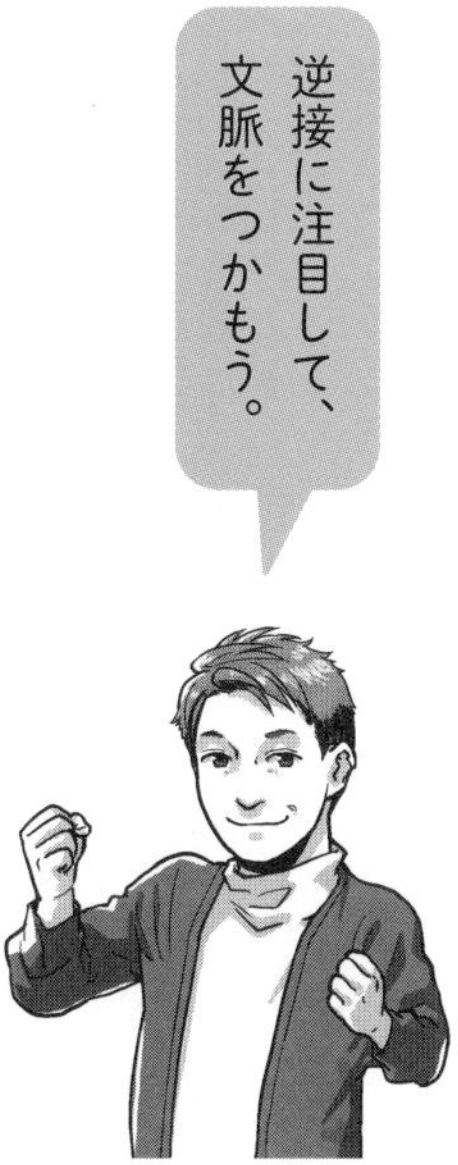

第11節 会話を読もう

1 会話を見つける

個人的には、古文で一番読みづらいのが**会話**（実際に発言した「発話」と、心の中で発した「心内語」とをまとめてこう呼んでおきます）です。古文の文章に触れるとき、「発話」には原則としてかぎかっこが付きますが、「心内語」には普通付きません。しかし、**文の構造を正しく捉えるためには、「心内語」も含めた会話のつかみが重要になってきます**。ですから、まずは、きちんとかぎかっこを付ける習慣を身に付けましょう。

会話の見つけ方ってコツがありますか？

もともと、古文を読み書きしていた人たちは、かぎかっこを私たちのように使ってはいません。だから、会話はかなり読みづらかったかと思われます。けれど、その代わりのように、会話を同じ言葉ではさむ書き癖があります。「男の**言はく**、『……』と**言ふ**。」なんて形の古文、よく見ますよね。

訳すと「男が言うことには、『……』と言う」ってなる不自然なアレですね！

そうですね。でも、アレのおかげで会話が見つけやすくなります。始まりの形は、「言はく」のほかに、「言ふやう」や「言ふには」などもあります。「言ふ」の位置には、「申す」や「語る」や「のたまふ」が来ることもあります。また、終わりの形は、ほとんどの場合**「と」「とて」「など」**の三語です。

会話を示す語句

～く、
～やう、
～には、
｝「……」｛
と
とて
など

古文の引用部（発話や心内語や手紙）は、形式的に見つけやすい終わりを探し、そこからさかのぼって引用の始まりを見つけるようにしましょう。また、「……連体形 よし **発話を示す語句**」の形もあり、その場合は「……連体形」の箇所までが会話の内容にあたります。「かの御所にばけものある**よし**聞こえければ（＝その場所には化け物がいる**ということ**が評判になったので）」などがその例です。

問題 **次のそれぞれの文から会話を見つけ、その部分にかぎかっこを付けよ。**

① 君、うち笑み給《たま》ひて、知らばやと思《おも》ほしたり。（『源氏物語』）

② （夢の中で、泣く女に出遭《あ》った男は、）あやしくて、何人のかくは泣くぞと問ひければ、（『古今著聞集』）

③ （使いは、都に）上《のぼ》りて、帝《みかど》に、かくなむ、ありつると奏しければ、（『更級日記』）

④（修験者は、渡した）数珠《ずず》とり返して、あな、いと験《げん》なしやとうち言ひて、（『枕草子』）

どれも短い文ですから、それほど難しくはないでしょう。

①は、「思ほしたり」の直前に**「と」**があるので、終わりはここまで。「うち笑み給ひて、知らばや」をかぎかっこにくくると、「微笑《ほほえ》みなさって、知りたい」という心内語になってしまって、おかしな文章になります。**正解は「知らばや」**です。よく見ると、「うち笑み給ひて」と「思ほしたり」という並列した述語には共に尊敬語が使われています。**引用部の外側の敬語もかぎかっこを付けるときにヒントになります。**

②は、引用の**「と」**に気付けば、終わりは「泣くぞ」までとわかります。「あやしくて、何人のかくは泣くぞ」とくくってみると、「不思議で、誰がこんなふうに泣くのか」と尋ねていることになります。これもやはり変ですね。「あやしくて」をかぎかっこから外すと、しっくりきます。**正解は「何人のかくは泣くぞ」**です。

③は、「ありつる」までがかぎかっこです。さて、始まりの見極めですが、**「かくなむ」は副詞「かく」に係助詞「なむ」が付いたもので、係り結びによって「ありつる」にかかります。**つまり、かぎかっこの中に入ります。「帝に」はどうでしょう。この目的語は、「奏しければ（＝申し上げたところ）」にかかります。だからかぎかっこの外です。**正解は「かくなむ、ありつる」**です。

④は、「いと験なしや」がかぎかっこの中に入るのは明らかですね。病気治療をする修験者がうまくいかずに「まったく祈った効き目がないなあ」と愚痴《ぐち》ったのです。その前にある**「あな」**はどうでしょう。これは感動詞で「ああ」などと訳します。もちろん、発話の内部です。**感動を示す表現は、やはり会話内に使われることも多いのです。**「とり返して」と「うち言ひて」が述語の並列ですから、**正解は「あな、いと験なしや」**です。

正解 ①「知らばや」 ②「何人のかくは泣くぞ」
③「かくなむ、ありつる」 ④「あな、いと験なしや」

ここで、会話の見つけ方についてまとめてみます。

会話の見つけ方

会話部の外側をチェックする。

①会話部を受ける述語（発話系の語）と並列される述語。

例 あやしくて、「何人のかくは泣くぞ」と問ひければ、

②敬語動詞の対応関係。

例 うち笑み給ひて、「知らばや」と思ほしたり。

③会話部を受ける述語（発話系の語）と、その目的語や主語。

例 帝に、「かくなむ、ありつる」と奏しければ、

会話部の内側をチェックする。

①「あな」「あはれ」などの感動詞。

②「かな」「ぞかし」などの感嘆表現。

③係助詞や疑問語とその結び、呼応の副詞。

次の問題を解いて確認してみましょう。

問題 **次の文章は、『無名草子』の一節で、ある女房が、紫式部《むらさきしきぶ》が『源氏物語』（本文内では『源氏』とされる）を書いた事情について語っている場面である。ある女房（＝「言ふ人」）の発言の中に含まれる四つの発言をすべて指摘せよ。**

「繰言《くりごと》のやうには侍《はべ》れど、尽きもせずうらやましくめでたく侍るは、大斎院《おほさいゐん》より上東門院《じやうとうもんゐん》つれづれ慰みぬべき物語やさぶらふと尋ね参らせ給《たま》へりけるに、紫式部を召して、何をか参らすべきと仰《おほ》せられければ、めづらしきものは、何か侍るべき。新しく作りて参らせ給へかしと申しければ、作れと仰せられけるを、承りて、『源氏』を作りたりけるこそ、いみじくめでたく侍れ」と言ふ人侍れば、……

※大斎院……選子《せんし》内親王。賀茂《かも》神社の祭神に仕える「斎院」を長く務めたので「大斎院」と呼ばれた。
上東門院……一条天皇の中宮である彰子《しょうし》。紫式部はその女房として働いていた。

やり方はわかったつもりなのに、難しいです！

さて、四つもあると面倒ですが、会話部の末尾を押さえてから、大斎院、上東門院、紫式部のそれぞれの行動を捉えていけばいいのです。①「物語やさぶらふ**」と**尋ね」、②「参らすべき**」と**仰せられければ」、③「参らせ

給へかし』**と**申しければ」、④「作れ」**と**仰せられけるを」が終わりの箇所ですね。

①に関しては、「つれづれ」と「慰み」が目的語―述語の関係で、それ全体が「物語」の連体修飾語です。したがって、「つれづれ」から始まります。これは**大斎院から上東門院への発言**です。②は、「紫式部を召して」とあるので**上東門院が主語**とわかり、この「召して」が「仰せられければ」と並列になるので、「何をか」から始まります。③は、会話部が「申しければ」と受けられているので、**主体は紫式部**。上東門院の相談に対して紫式部がどう発言したかを考えます。「めづらしきものは」がその始まりです。④は会話部「作れ」が命令形であり、受ける部分は「仰せられけるを」と尊敬語があるので、**主体は上東門院**。紫式部の「目新しい物語はない」という返答に対して、上東門院は「それならば、あなたが作りなさい」と命じたというのです。したがって、④は「作れ」だけが発言です。きちんと捉えられましたか。現代語訳を付けておいたので、照合しておきましょう。

正解
① **つれづれ〜物語やさぶらふ**
② **何をか参らすべき**
③ **めづらしきものは〜参らせ給へかし**
④ **作れ**

訳 「同じことを繰り返し言うようではありますが、尽きることもなくうらやましくすばらしくございますことは、大斎院から上東門院へ『きっと退屈が紛れるに違いない物語がありますか』とお尋ね申し上げなさったところ、（上東門院は、）紫式部をお呼びになって、『何を差し上げるとよいか』とおっしゃったので、（紫式部は、）『目新しいものなど、どうしてございましょうか、いやあるはずがございません。新しく作って差し上げてくださいな』と申し上げたところ、（上東門院は、）『（ではあなたが）作りなさい』とおっしゃったので、（紫式部は、）承知いたして、『源氏物語』を作ったという事情が、たいそうすばらしいのです」と言う女房がいますと、……

ちなみに、引用した本文の後には、紫式部は、宮仕えする前に『源氏物語』を書き、その評価が高かったので宮仕えしたのだ、というまったく違う説も並べられています。本当はどうだったのか、現在でもさだかではありませんが、それほどに昔の人々も、『源氏物語』に魅了されていたのがわかりますね。

2 会話のあいまい表現

前項では、会話部を見つけるには、文構造への意識を強く持つことだと学びました。逆に、**文構造を捉える力が付けば、会話部は簡単に見つけられる**ということでもあります。努力あるのみ、です。ただ残念なことに、会話の読みにくさというのは、それだけではないのです。たとえば、**「おれ、たぬき」「じゃあ、わたし、きつね」**なんていう会話、成り立ちますね、そば屋かうどん屋でなら。「おれは、たぬきそばを食べることにする」「じゃあ、わたしは、きつねそばを注文するつもりだ」などの省略形と説明できます。しかし、このような省略を補った文のほうが、日本語として明らかに不自然です。そこに会話のポイントがあります。**相手に伝わると思うことを大きく省略したりあいまいにしたりする、というのが、会話部の特徴**であり、時代の離れた僕たちにとっては、それが読みにくさやあいまいさに映るのです。

普通の古文以上にわかりにくいなら、もうぜったい読めないです！　無理です！

大丈夫、大丈夫。無理に補おうとするから読めなくなるのです。頭の中を逆転させて、その場のノリに合わせることが、会話読解のコツです。先の例だって、場所がそば屋でメニュー見ている人がいて……、なんて場面であれば、「今まで言えなかったけど、実はおれ、たぬきだったんだ」なんて衝撃的告白をしている場面にはなりません。**場面をつかみ、話題をつかみ、流れに乗ること、これが会話のあいまい表現の突破口となる**のです。

「いかにぞや」という言葉を例にして、少し具体的に見ていきましょう。

いかにぞや……副詞「いかに」＋係助詞「ぞ」＋係助詞「や」

このように品詞分解されるので、まずは「いかに」と同じく、状況や様子を尋ねて［どのようか］と訳す語とわかります。次の文章は『大鏡』の冒頭部で、大宅世継《おおやけのよつぎ》と夏山繁樹《なつやまのしげき》の会話です。

翁《おきな》、「主《ぬし》は、その御時（＝宇《う》多《だ》天皇の御治世）の母后の宮の御方の召使《めしつかひ》、高名《かうみやう》の大宅世継とぞ言ひ侍《はべ》りしかしな。みづからが小童《こわらは》にてありし時、主は二十五六ばかりの男《をのこ》にてこそはいませしか」と言ふめれば、世継、「しかしか、さ侍りしことなり。さても、主の御名《みな》はいかにぞや」といふめれば、「太政《だいじやう》大臣殿にて元服つかまつりし時、『きむぢが姓は何ぞ』と仰《おほ》せられしかば、『夏山となん申す』と申ししを、やがて『繁樹』となん付けさせ給へりし」など言ふに、いとあさましうなりぬ。

片方の老人が、「あなたは、有名な大宅世継さんですね。私が小童だった頃、あなたはもう二十五、六の年齢でした」と言います。すると、それを受けた世継が、「さても、主の御名はいかにぞや」と言うのです。ここでの「主」は二人称ですから、「あなたのお名前は**どのようか**（＝**何か**）」と尋ねたとするのが場面に合います。そう問われたからこそ、「夏山」という自分の姓に合わせて、「太政大臣（＝藤原忠平《ふじわらのただひら》）」が「繁樹」という名を付けてくださったというエピソード、つまり自身の名前を答えたのです。ここでの「いかにぞや」は単に疑問ととればよいのでした。

さて、次の文章はどうでしょうか。『紫式部日記』の一節で、自身の子どもの頃を記したものです。

この式部《しきぶ》の丞《じょう》といふ人（＝紫式部の兄弟である藤原惟規《ふじわらののぶのり》）の、童《わらは》にて書《ふみ》読みはべりし時、聞きならひつつ、かの人はおそう読み取り、忘るるところをも、あやしきまでぞさとくはべりしかば、書に心入れたる親は、「口惜しう、男子《をのこご》にて持たらぬこそ幸ひなかりけれ」とぞ、常に嘆かれはべりし。
それを、「男だに才《ざえ》がりぬる人は、いかにぞや、はなやかならずのみ侍《はべ》るめるよ」とやうやう人の言ふも聞きとめて後、一と言ふ文字をだに書き渡し侍らず、いとてづつに、あさましくはべり。

当時、漢籍（＝「書《ふみ》」）は、男性が身に付けるべき教養でした。惟規がその漢籍を習っていたときのことが描かれています。「かの人（＝惟規）」が主語、「おそう読み取り」と「忘るる」が並列した述語となります。「惟規がなかなか読めなくて、忘れてしまう」というのですから、彼は漢籍を少し苦手としていたのでしょう。そこまでを目的語として「(かの人はおそう読み取り、忘るるところをも)」、あやしきまでぞさとくはべりしかば（＝不思議なほどに聡明に理解しましたので）」というのですから、主語は惟規でなく、筆者（＝紫式部）だとわかります。**脇で聞いていた筆者のほうが先に理解してしまった**、というのです。紫式部は漢籍のセンスがあったのですね。だから親は「残念なことに、これほど優秀な子が男子でないのは私の不幸だ」と嘆いています。漢籍は女の子には不要な教養だったからです。その中で、ある人の発言が描かれます。「才がる」とは漢籍の教養をひけらかすこと、ここの「だに」は「さえ」の訳。「男性の場合でさえ漢籍の教養をひけらかしてしまう人は、**どのようであるか**、派手に栄華を極めないようですよ」と訳してみます。「いかにぞや」の訳がなんだか不自然ですが、全体としては、漢籍の教養をひけらかすのはマイナスにはたらくと言われていることはわかります。「だに」に注目すれば、「男性で**さえ**」となるので、言外に**「女性の場合はなおさらだ」**と言っているのです。それがわかると、その発言を聞いた筆者が「一という漢字さえ書かなかった」と、たぐいまれな自身の教養をひた隠しにしていたことがわかります。

大変な時代だったんですね……。少しずつ状況がわかってきました。

このように流れを踏まえたうえで、「いかにぞや」に戻ってみると、ここでは相手に尋ねるという流れはまったくありません。したがって「どうであるか」は**否定的なニュアンスで、「問題だと思う」とか「どうかしている」という意味**にとるのがぴったりきます。現代語でも「この服、どう?」に対して「どうかなあ（＝ちょっと合わないよ）」というやりとりができますね。『大鏡』のほうの「いかにぞや」は「この服、どう?」の「どう」と尋ねるほうで、『紫式部日記』の「いかにぞや」は、否定する意味合いの「どう」なのです。こういう現代語の会

話っぽいやりとりが出てくると、古文では苦戦します。できる限り、その場にいるように読むしか手はありません。**訳そうと思うよりわかろうと思え**、というのが会話のコツなのです。

一見すると「疑問」に見える言葉は、実は警戒すべき会話表現となる場合もあるのです。このほかにも会話で気を付けたいのは「われ・おのれ」あるいは「わが・おのが」という表現です。これらの人称に関わる言葉は、［私］や［私の］という一人称の使い方のほかに、［あなた］［あなたの］という二人称の使い方もあるのです。このポイントも、会話部の読み取りで失敗しがちなところです。

会話で気を付けたい頻出表現

いかにぞや＝どうか（疑問）／**どうかしている**（不評）

いかが＝どう、どうだろうか（疑問）／**どんなにか**（強調）／**どうかしている**（不評）

いかに＝どうして、どうやって（疑問）／**どんなにか**（強調）／**おい**（呼びかけ）

いかで＝どうして、どうやって（疑問）／**どうしても**（強調）

いつしか＝いつなのか（疑問）／**早く**（強調）

いかさまに＝どのように（疑問）／**なんとしても**（強調）／**なるほど**（同意）

※**赤字**は疑問（反語）以外の、特に気を付けたい意

われ・おのれ＝私（一人称）／あなた自身（二人称）

わが・おのが＝私の（一人称）／あなた自身の（二人称）

このほかに、会話部が長い場合の対策もお教えしましょう。

①敬語の処理を軽くする。（特に丁寧語「はべり」「さぶらふ」）
②述語の並列をつかみ、主語と趣旨を取ることに専念する。
③命令・禁止・勧誘の表現に主眼を置く。
④会話部の冒頭か末尾のどちらかに発言の意図があると見なす。

会話の場合、目の前に相手がいるので、敬語が多用されます。特に、聞いている相手を敬う丁寧語はそうです。なので、速読のためには、そこを省略しましょう（①）。また、わかりづらくあいまいな表現が多いのが会話部ですから、ムキにならずに、言いたいことがざっとつかめればいい、という割り切りも必要です（②）。会話は相手に何かを頼む場合に使われることも多いので、命令や禁止の表現はそのまま趣旨になる場合も少なくありません（③）。④は……、うまく読めないときの緊急避難です（笑）。たいてい、冒頭か末尾のどちらかに趣旨があるのです。でもこれを使うのは、時間がないとか、うまく読めないとか、そういうときだけにしてくださいね。

第12節 和歌を読もう

和歌は、日本の古典文学の中心的存在です。ですから、物語や日記などの中でも、要所要所に置かれますし、古文の評論の多くは、和歌にまつわる故事や理論について述べた、いわゆる歌論です。ここで力を付けて、大きくステップアップしましょう。

和歌って、掛詞《かけことば》とか枕詞《まくらことば》とかあって面倒だし、ホント苦手なんですよね。

気持ちはすごくよくわかる。ダジャレみたいなものや訳す必要のないものが入っていて、面倒だよね。でも、実はそういう「修辞法」に意識が向きすぎていることがつまずきの第一歩なのかもしれません。たしかに「修辞法」も無視はできないので、この節の後半で触れますが、それよりもずっと大事な着眼点があります。その話から始めましょう。入試で問われるような**和歌には基本的に二重の文脈がある**、ということです。受験生側に立てば、**最低二回は読み直さないと意味は取れない**ものなのです。

その二つの文脈とは、**〈自然〉**と**〈人事〉**の二つです。〈自然〉とは人間の側に何かを感じさせる対象のことで、〈人事〉とはそれに対応した人間の側の出来事や心情です。それがどこかでつながりながら二重の文脈を作るのが和歌の基本的な構造なのです。具体的に見ていきましょう。

宇治川の瀬々のしき波　しくしくに　妹《いも》は心に乗りにけるかも

（『万葉集』二四二七番歌）

訳 宇治川の激しい流れの波がしきりに立つように、しきりにあなたは私の心にいるのだよ。

上の句が風景描写＝〈自然〉になっています。そのまま読み進めると、「宇治川の波が『しくしくに』」ですから、「宇治川の波が『しきりに』」と訳せます。ところが、そのまま続けようと思うと文脈が乱れます。ここでの「妹」は恋人の女性を指す語なので、「川波がしきりに、あなたは私の心の中にいる」となります。これでは解釈崩壊です。「妹は～」以降の箇所は心理描写＝〈人事〉であるのは間違いないし、「しくしくに」は連用修飾でこの下の句にかかることも間違いありません。そこで重要なのが **「つなぎ言葉」** の捉え方なのです。このつなぎ言葉は、**二重の意味を持って、〈自然〉から〈人事〉へと文脈を乗り換えるつなぎ目**となっているのです。二回は読んでくれと言ったのは、この二つの流れをつかまえるためでした。こうして二つの文脈がつながると、〈自然〉が〈人事〉の比喩《ひゆ》としてはたらいていることが見えてきます。

〈自然〉　**つなぎ言葉**

宇治川の瀬々のしき波　しくしくに　妹は心に乗りにけるかも

つなぎ言葉　〈人事〉

図式化すれば、次のようになります。

〈自然〉 つなぎ言葉
　　　　　↓
　　　　つなぎ言葉 〈人事〉

つなぎ言葉になる語句

①「序詞《じょことば》」から「本旨」へと移る部分
②「掛詞《かけことば》」
③比喩（見立て）

和歌が二重文脈を持つ場合に、つなぎ言葉はこの三つしかありません。二重文脈を見つけるコツはこの**「つなぎ言葉」を発見できるかどうか**にかかっているのです。

わかりましたけど……、でもやっぱり難しい気がします。

現代でも〈自然〉が心象風景として〈人事〉の比喩になることは、小説や映画などの中にもよくあります。また、LINEのスタンプとメッセージという仕組みだって、スタンプがイメージとなってメッセージの内容を補っているのだから、この和歌の二重性と近いものがあります。それほど高尚なものだとおびえずに、「LINEか」くらいの気楽な気持ちで読んでいきましょう。考えてみれば、彼らが和歌を詠む一番の場所は「手紙」です。現代で言えばSNSそのものなんですから。

では、具体的な和歌読解の作業手順を確認しましょう。

和歌読解の手順

①和歌の詠まれた**シチュエーション**をつかんでおく。

②**句点（。）の付くところ**をチェックし、**倒置法**が使われているかを確認する。

③**〈自然〉**と**〈人事〉**のどちらなのかを気にしながら、どちらかの文脈で読める限り読む。

④**つなぎ言葉**を探して、もう一度読み直す。

⑤全体をつかみながら、その場面で**相手に伝えたいこと**を考える。

先ほど説明していない箇所を中心に補っておきます。②は文法的に考えます。和歌の途中に句点が付くとわかった場合、第五句末を見ましょう。**「かな」「けり」**など文が終わる形になっていれば倒置法ではないですが、「〜思へば」「〜あらねど」のように、**文がそこで終わらない表現が来ていれば倒置法**です。①と⑤は、和歌を会話の一種だと思えばわかってもらえるかと思います。会話のときにも述べたように、会話というのは必ずしも伝えたいことをすべて言葉にするわけではありません。和歌も同じです。相手に「逢《あ》えなくてつらい」と表現したら、伝えたいことは「逢いたい」です。この程度のことなので、実はたいしたことはありません。

よかった。少し気が楽になってきました。

さて、修辞法について説明しましょう。まずは「序詞《じょことば》」からです。**「序詞」とは、ある語句を導くために用いられる六音以上の表現**のことです。先の歌で言えば、「宇治川の瀬々のしき波」までが序詞で、「しくしくに」を導いています。要するに、**「序詞」とはつなぎ言葉の前まで**、と考えればいいのです。しかも、メインである〈人事〉を導くので、**ほぼ〈自然〉部**ということになります。受験で目にすることの多い平安時代以降の和歌であれば、**「序詞」は「〈自然〉＋の」の形で使われることが多く、「～のように」などと訳します**。また、序詞には、同音反復を用い、つなぎ言葉のない場合もありますが、この場合には「～ではないが」などと訳します。

（序詞）　（本旨）

みかの原 わきて流るるいづみ川 いつ見きとてか 恋しかるらむ　（『新古今和歌集』九九六番歌）

訳 みかの原に湧いて、みかの原を分けて流れる「いづみ」川**ではないが**、（あの人を）いつ見たということで、これほどに恋しいのだろうか。

次は、**「掛詞《かけことば》」**。**「掛詞」とは、同音を利用して、二つの別語を重ねた表現**のことです。掛詞「あき」に「秋」と「飽き」の意が、掛詞「まつ」に「松」と「待つ」の意が掛けられたりする例は、有名なので知っている人も多いでしょう。先に和歌は二重の文脈だと言いましたが、この「掛詞」もそのことと通じてきます。**「掛詞」の原則は、〈自然〉と〈人事〉で一つずつ**なのです。また、掛詞の作られ方には次の三種類があります。

①**単線型** 例「音にのみきくの白露」［噂《うわさ》に聞くばかりの、菊の白露］（「**聞く**」と「**菊**」）
②**複線型** 例「人目も草もかれぬと思へば」［人目もなく、草も枯れたと思うと］（「**離《か》れ**」と「**枯れ**」）
③**一部型** 例「燃ゆるおもひを」［燃える火のような（私の）思いを］（「**思ひ**」と「**火**」）

つなぎ言葉はあるが一直線につながる①、つなぎ言葉で二つの文脈が合流する②、そしてつなぎ言葉の語の一部に入り込む③です。③は知っていないとなかなか気付けない難しい掛詞ですが、幸い頻度は低いので、「思ひ」や「恋ひ」に「火」や「日」や「緋《ひ》」（赤色のこと）がかかると覚えて終わりにしましょう。③に限らず、掛詞は定番のものは覚えておくほうが便利です（☞338ページ）。

次は、「**枕詞《まくらことば》**」。これは、**ある語句を導くために用いられる五音以下の表現**のことです。「序詞」と似ていますが、こちらは〈自然〉と限りませんし、導く語との関係は固定的です。「あしひきの」という枕詞が導くのは「山・峰」などの語、といった具合で、見たことがある人も多いと思います。枕詞は、五音句がほとんどなので、和歌の**第一句か第三句に用いられることが多い**ものです。これも主要なものは覚えておくほかありません（☞339ページ）。

次は、**「縁語《えんご》」**。**裏文脈を作るキーワード**（**掛詞**、**比喩**、**序詞**）**を軸に、意味のうえで関連の深い語を意図的に用いる技法**のことです。これも和歌の二重文脈と深く関わっています。

> 春立てば消ゆる**氷**の残りなく君が心は我に**解け**なむ　（『古今和歌集』五四二番歌）
>
> 訳 立春になり解ける氷のように、あなたの心は、すっかり私に打ち解けてほしい。

序詞の中で使われた「氷」という語は、本旨の中の「解け」という言葉と関連します。本旨では、あなたの心が私へと傾いてくれと言いたいのですから、「解け」るという表現である必要はありません。「氷」と関連させるべく、あえて「解け」と使ったと考えるべきです。この場合に、「解け」は「氷」の縁語（あるいは、「氷」と「解け」は縁語）と説明します。

これ、かなり難しくありませんか？　ていうか、無理でしょ！

「縁語」は、専門家でも意見の食い違いが生じることもあるほど微妙なものなので、受験生に自力で縁語を見つけろと指示する設問は、まずありません。ですから、問われた場合に、**この和歌の文脈を離れて、ごく普通に「関連する言葉だ」と思えたら、縁語だ**と思ってくれればバッチリです。「氷―解ける」の関連は普通に理解できますよね。だから縁語だということです。ある意味、一番わかりやすい修辞が「縁語」なのです。

和歌はこれだけ。〈自然〉と〈人事〉の対応やつなぎ言葉をつかめるように鍛えてくださいね。

最後に一つだけ。和歌というのは、彼らの頭の中では、それまでのまとめとして詠むものです。だから、そこまでの散文の心情の推移や状況の理解が、和歌を読解する前提としてとても重要です。裏返せば、和歌に至る心情や状況がうまく取れていれば、和歌をムキになって読まなくてもストーリーはつかめることが多いものです。必ず和歌の読解をしなければならない、などと意気込まないでください。スピード重視の入試では、特に重要な対応なので、(古文の講師が言うなんて大問題ですが)こっそり伝えておきます。

次節に第2章の内容をまとめてあるので、活用してください!

第13節 第2章のまとめ

文章の読み方がよくわかりました！　……でも、またすぐ忘れそう〜〜〜！！！

そんな君たちのために、第2章で学んだことのまとめを書いておくよ。試験前とか、パパっと確認したいときはここを見よう。

第9節　主体を考えて読もう

「文構造」を意識した読解法

・文章を「〜を、」「〜に、」「〜ば、」でいったん切ってブロック化しよう。

・「連用形、」「連用形＋て、」「未然形＋で」に注目して、述語の並列をつかもう。

・省略されている主語を、書き込みながら読もう。

　チェックポイントは、「前文の主語、主人公、敬語（身分差）、男女差」など

第10節 つながり方に注意しよう

文のブロック相互の関係性を意識した読解法

・仮定条件は、「結果の想像（＝未来表現）」までの固まりで捉えよう。
・確定条件は、「原因句」に意識を向けよう。
・逆接は、その後に強調したい出来事が語られるので、「承《う》け」を大切にする。
・「逆接＋〔原因句〕＋承け」の形に注意しよう。

第11節 会話を読もう

会話（発話と心内語）は、古文読解の難所

・かぎかっこを付けて読むくせをつけよう。
・文の構造を捉えて、かぎかっこの始まりを決めよう。
・会話のあいまい表現は、現代語の感覚を生かそう。

第12節　和歌を読もう

和歌は、古文読解のまとめ

・〈自然〉と〈人事〉の二重文脈をつかまえよう。
・〈つなぎ言葉〉は、序詞《じょことば》・掛詞《かけことば》・比喩《ひゆ》（見立て）の三つだけ。
・掛詞と枕詞《まくらことば》は覚えるほうが楽。
・和歌は、そこまでの心情のまとめとして読もう。

文章の読み方が大きくなると、スピードも上がってくるよ！

第14節 類話

前章までに学習した古文の読み方は、もう使いこなせるようになりましたか。ここからは、それを使って共通テストのスタイルに慣れていきましょう。

共通テストは、文章を二つ読まなきゃいけないって聞いたんですけど……。

そうですね。共通テストの古文では、数種類の文章を多角的に読む力が問われます。その一例として、**「類話」**と呼ばれる、似た話を読むときの注意点を、実際に問題に触れながら確認していきましょう。

学校の授業などでも触れることの多い『伊勢《いせ》物語』二十三段の後半と、その類話である『大和《やまと》物語』百四十九段を並べました。まず読んでみましょう。

問題 **次の『伊勢物語』と『大和物語』の一節を読んで、後の問いに答えなさい。**

【『伊勢物語』二十三段　後半】（前半では幼なじみの二人が夫婦になります。）

さて、年ごろ経るほどに、女、親なくたよりなくなるままに、もろともに言ふかひなくてあらむやはとて、

（注1）河内《かふち》の国、高安《たかやす》の郡《こほり》に、行き通ふ所出《い》で来にけり。さりけれど、このもとの女、悪《あ》しと思へるけしきもなくて、出《い》だしやりければ、男、こと心ありてかかるにやあらむと思ひうたがひて、前栽《せんざい》の中に隠れゐて、河内へ往《い》ぬる顔にて見れば、この女、いとよう化粧《けさう》じて、うちながめて、

風吹けば沖つしら浪《なみ》（注2）たつた山夜半《よは》にや君がひとり越ゆらむ

と詠《よ》みけるを聞きて、かぎりなくかなしと思ひて、河内へも行かずなりにけり。

まれまれかの高安に来て見れば、はじめこそ心憎くも作りけれ、今はうちとけて、手づから飯匙《いひがひ》とりて、（注3）笥子《けこ》の器物《うつはもの》に盛りけるを見て、心憂がりて行かずなりにけり。さりければ、かの女、大和の方《かた》を見やりて、

君があたり見つつを居《を》らむ（注4）生駒《いこま》山雲なかくしそ雨は降るとも

と言ひて見出だすに、からうじて、（注5）大和人「来む」と言へり。よろこびて待つに、たびたび過ぎぬれば、

君来むと言ひし夜ごとに過ぎぬれば頼まぬものの恋ひつつぞ経る

と言ひけれど、男住まずなりにけり。

（注）1河内の国……現在の大阪府南部。
2たつた山……奈良県生駒郡にある山。当時は大和国と河内国とを結ぶ経路であった。
3笥子の器物……飯を盛る器。
4生駒山……大阪府と奈良県との境に位置する山。
5大和人……ここでは、大和国から河内国へと通ってくる夫のこと。

【『大和物語』百四十九段】

昔、大和の国、葛城《かつらぎ》の郡にすむ男女《をとこをんな》ありけり。この女、顔かたちいと清らなり。年ごろ思ひ交はして住むに、この女いとわろくなりにければ、思ひわづらひて、かぎりなく思ひながら妻《め》をまうけてけり。この今の妻は富みたる女になむありける。ことに思はねど、行けばいみじういたはり、身の装束もいと清らにせさせけり。かくにぎははしきところに慣らひて、来たれば、この女いとわろげにてゐて、かくほかに歩《あり》けど、さらに妬《ねた》げにも見えずなどあれば、いとあはれと思ひけり。心地にはかぎりなく妬く心憂しと思ふを、忍ぶるになむありける。とどまりなむと思ふ夜も、なほ「往ね」と言ひければ、わがかく歩きするを妬まで、ことわざするにやあらむ。さるわざせずは、恨むることもありなむなど、心のうちに思ひけり。さて出でて行くと見えて、前栽の中に隠れて、男や来ると見れば、端《はし》に出でゐて、月のいといみじうおもしろきに、頭《かしら》かい梳《けづ》りなどしてをり。夜更くるまで寝ず、いといたううち嘆きてながめければ、「人待つなめり」と見るに、使ふ人の前なりけるにいひける。

　風吹けば沖つしら浪たつた山夜半にや君がひとり越ゆらむ

と詠みければ、わが（注1）上を思ふなりけりと思ふに、いとかなしうなりぬ。この今の妻の家は龍田《たつた》山越えて行く道になむありける。かくてなほ見をりければ、この女うち泣きて臥《ふ》して、（注2）金椀《かなまり》に水を入れて、胸になむ据ゑ（注3）たりける。「あやし、いかにするにかあらむ」とてなほ見る。さればこの水、熱湯《あつゆ》にたぎりぬれば、湯ふてつ。また水を入る。見るにいとかなしくて、走り出でて、「いかなる心地し給《たま》へば、かくはし給ふぞ」と言ひてかき抱《いだ》きてなむ寝にける。かくてほかへもさらに行かでつとゐにけり。

　かくて月日多く経て思ひけるやう、「つれなき顔なれど、女の思ふことといといみじきことなりけるを、かく行かぬを、いかに思ふらむ」と思ひ出でて、ありし女のがり行きたりけり。久しく行かざりければ、つつましくて立てりけり。さてかいまめば、(注4)我にはよくて見えしかど、いとあやしきさまなる衣を着て、大櫛《おほぐし》を面櫛《つらぐし》(注5)にさしかけてをり、手づから飯《いひ》盛りをりける。いといみじと思ひて、来にけるままに、行かずなりにけり。

（注）1わが上を思ふなりけり……私のことを思っているのだなあ、の意。
2金椀……飯を盛る金属製の器。
3ふてつ……捨てた、の意。
4かいまめば……のぞき見をすると、の意。
5面櫛にさし……髪を上げて前髪に櫛を挿し、の意。

問　この二つの文章を読んだ六人の生徒A～Fの授業後の感想として、本文の内容と合致するものを次の中から一つ選びなさい。

① 生徒A――『伊勢物語』も『大和物語』も歌物語と言われるだけあって、歌の力を感じた。両方にある「風吹けば」の歌が夫の心を変えただけでなく、『伊勢物語』の「君があたり」の歌は夫に「行こう」と言わせるきっかけになるし、同居はしないがときどき通ったのは「君来むと」の歌の力だと思った。

② 生徒B――『伊勢物語』とは違って、『大和物語』では、美しかった容貌が衰えたことで、元からの妻から夫の足が遠のいたと書いてある。それでも、きちんと化粧をしていたからこそ、元からの妻は夫の愛を取り戻すことができたので、化粧は当時の女性にとっても大切だったのだとわかった。

③ 生徒C――『伊勢物語』と『大和物語』で共通する部分に、二人の妻の描かれ方がある。どちらにも、

元からの妻は、夫が見ているとは気付かないまま、身なりを整えて歌を詠むようなたしなみのある人物だが、新しい妻は、自分でご飯を盛るような品のない人物であると書かれている。

④　生徒D――『伊勢物語』と『大和物語』に共通する「風吹けば」の歌が、「風吹けば沖つしら浪」が「たつ」を導く序詞《じょことば》で、主旨は、「龍田山をあなたはこの夜中に一人で越えるのだろうか、いやあの女性と二人で仲良く越えているのだろう」という嫉妬の歌であるというのが面白かった。

⑤　生徒E――『大和物語』にだけ書かれた「金椀」の箇所が面白かった。なかなか来ない夫を心配した新しい妻は、お椀に水を入れて胸に当てるとそれがすぐにお湯になったという。これが、胸中にある夫への「思ひ」の「ひ」と「火」との掛詞《かけことば》をもとにして、それが実際に起こったという意味だとわかったからだ。

⑥　生徒F――元からの妻の浮気を疑う夫は、『伊勢物語』でも『大和物語』でも、「かなし」く思ったと書かれているけれど、自分が先に浮気をしておいて、元からの妻がほかの男性を心配する歌を詠んだのを聞いて嘆くのは、身勝手すぎると思った。

違うところもあるけど、どこかと言われると……。

似ている二つの話を漫然と読んでいると、頭の中で混ざってしまうものです。例えば、マンガのアニメ化とか、小説の映画化とか、そのような場合を考えてみてください。**だいたい一緒でちょっと違う**世界ですよね。類話の比較検討というのは、「マンガとアニメのどっちがいいか」や「小説の世界観が映画でどう作られるのか」など

といった、ちょっとだけマニアックな、細部にこだわった世界なのです。小説の世界には出てこない人物が映画には出てくるとか、マンガのキャラがアニメだと少し濃いめのキャラになっているとか、そういうことです。主人公が別人だとか、ストーリーが完全に違うというものではないのです。だからこそ、**けっしてやってはいけないのは、二つの話をまとめて、一つのお話を作り上げること**です。自分の好きな作品が別のメディアになったときに、「自分としてはこっちが好き」、「あっちはここが変えられていてイマイチだった」と思ったりすることは、誰にでもありますね。そのときに、「だいたい一緒じゃん」とか「違いがあったっけ?」なんて言われると、その人のがさつさに腹が立つこと間違いなしです。だから、類話を比較する際にも、細部にこだわってください。

では、具体的にどうしていくのか。まずは、**簡潔にストーリー（話の流れ）をつかむ**ところから始めます。ストーリーをつかむ、というのもかなり抽象的な物言いなので、もう少しかみ砕けば、話の内容を知らない相手に一言で説明するような場面を考えてもらうとよいかと思います。それもなるべく具体的に、知り合いの誰かを想定したほうがうまくいきます。

『伊勢物語』

①夫は、元からの妻のほかに新しく妻を作った。

②元からの妻の歌を聞いて、夫は新しい妻のところへ行かなくなった。

③夫は、新しい妻の行動を見て、行かなくなった。（→元の鞘《さや》に収まった。メデタシ、メデタシ）

この程度で充分です。②と③の後半は、古文そのものがそういう叙述ですが、内容が重なりますので、②③はまとめて**「元からの妻の歌を聞き、新しい妻の行動を見た結果、元の夫婦関係だけになった」**でもかまいません。

では、比較対象の『大和物語』を見ましょう。

『大和物語』
①夫は、元からの妻のほかに新しく妻を作った。
②元からの妻の歌を聞いて、夫は新しい妻のところへ行かなくなった。
③夫は、新しい妻の行動を見て、行かなくなった。（↓元の鞘に収まった。メデタシ、メデタシ）

だいたいのところが同じです。これでまずはよいのです。次に、「間違い探し」のようにどこかに違いはないかと探すのですが、まずは似たエピソードは置いておいて、**独自のエピソードはないか**と探してみるのが一番です。例えば、②の中の「聞いて」と「行かなくなった」の間に、『伊勢物語』にはなかった金椀《かなまり》の話が出てきますね。

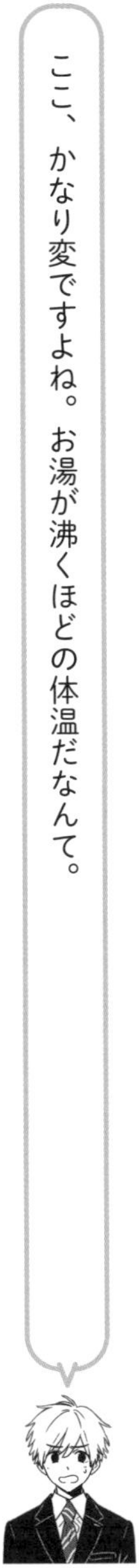
ここ、かなり変ですよね。お湯が沸くほどの体温だなんて。

少し脇道にそれますが、このなんとも不自然なエピソードをちょっと解説しておきましょう。お湯を沸かしたという「この女」とは、夫が「なほ見をりければ（＝さらに見ていると）」というのですから、それまでにも見ていた元からの妻のことです。彼女の胸がそれほど熱くなった謎を解く鍵は、次のような箇所に見られます。『蜻蛉《かげろう》日記』天禄《てんろく》元年十二月の条には、夫の兼家《かねいえ》の足がすっかり遠のいたことに涙した筆者の歌があります。

思ひせく胸のほむらはつれなくて涙を沸かすものにざりける

この歌は、「思ひせく」が心の中でせき止めていること、「思ひ」の「ひ」が「火」との掛詞《かけことば》、「胸のほむら」が心の中の燃えるような思い、「つれなし」が平然としているさま、「にざりける」は「にぞありける」の略なので、全体としては**「夫への思いをせき止めている私の胸の内の熱情は、外からは見えないけれど、この涙を熱く沸かすものであるよ」**という内容になります。ここで、**外から見えない私の思いが炎となって、涙を熱く沸かしているのだ、という発想**が見られます。これを参考にすれば、この箇所の「金椀」の話が見えてきます。元からの妻にも、『蜻蛉日記』の筆者と同じく、火のような思いがあったのです。涙の温かさをその思いの表れと考える『蜻蛉日記』はそれなりに筋の通るものですが、『大和物語』のこの女は、胸が物理的に熱くなった、というのですから、物語というフィクションらしい場面ではあります。けれど、そのフィクションゆえに、平然と自分を送り出す元からの妻の心の内が、夫には見えたのでした。歌に見られる掛詞どおりに生きる妻の姿は、ある意味、歌物語ならではの姿と言えるかもしれません。

そうか。「思ひ」の「ひ」と「火」の掛詞が現実に起きたって言いたいんですね。

そうですね。このエピソードが書かれることで、夫がよその女へ通うことに大きく傷ついている妻の内面がはっきり浮かび上がってきます。対する『伊勢物語』では「うちながめて」の一言ですから、『大和物語』のほうが、より深く、元からの妻の内面を語ろうとしていることが見て取れます。

また、③の「新しい妻の行動」についても、『伊勢物語』には新しい妻の歌が二首見られますが、『大和物語』

には見られません。つまり、『大和物語』は、元からの妻の歌を一首だけ書くことで、元からの妻の思いを描くこととその結末とをシンプルに示したということになります。

さて、本文の解説や着眼点の説明が長くなりましたが、そろそろ設問の解説に入ります。

このような内容合致に類する問題の場合、**やってはいけないのは自分の記憶力で勝負すること**です。短時間で二つの類話を読んだのですから、いつも以上に混乱をきたしている可能性があります。ですから、選択肢の吟味をする際には、**必ず本文と照らし合わせてください**。どちらの文章のどの部分を指した選択肢なのかを考え、その古文と照合することで、少し時間がかかりはしますが、その分の費用対効果（得点のことです）は充分に得られます。その際には、次のような箇所をチェックしながら判断すると、効率よく得点になります。

選択肢と本文とを照合するときのポイント

①**場面**（日時や場所）は正しいかどうか。
②**動作主体**や**目的語**は正しいかどうか。
③**古今異義語**が正しく訳されているか。
④**打消語の有無**は確認したかどうか。

一言で言えば、**事実誤認がないかどうかを見極めろ**、ということです。この箇所をそうも読めるかもしれないとか、この歌を深読みするとそういう解釈も成り立つかもしれないとか、はっきり書いていないのでその可能性が否定できないとか、このようなあいまいなものの判断は最後の最後です。まずは、事実の確認、これを忘れないでくださいね。

選択肢を読むと、「そうも言えそうだ」と思っちゃって、かえって混乱していました。事実かどうかをまずチェックすればいいんですね。

さて、解説。①は、歌によって大きく状況が変わるのですから、「歌の力」とは言えそうですね。歌には状況や神仏までをも動かす力があると語る話を「歌徳説話」などと呼びますし、考えてみればこういう内容の話、古文でよく見ますよね。でも、気を付けてください！　たしかにそう言えるかも、という判断は後回しにするのでしたね。ここでも、事実確認から始めましょう。『伊勢物語』のほうが話題になっています。二首目の「君があたり」の歌の直後には「大和人『来む』と言へり」とありますから、それが歌の力かどうかは判断せずにその次へ。三首目の「君来むと」の歌ですが、この後には「男住まずなりにけり」とあります。古語「住む」には、「❶同居する」のほかに「❷男が女のところへ通う」意もありますが、❶で取って、「同居はしないがときどき通った」と理解するのが①の選択肢です。しかし、この直前に「(新しい妻は、「君来むと」の歌を) 言ひけれど」と逆接があること、また、「行かずなりにけり」という夫の行動が繰り返し書かれていたこと、「来む」とは言ったものの**「たびたび過ぎぬれば」とあることから、結局は来なかったことが明らか**です。したがって、「同居はしないがときどき通った」は事実と異なります。

②は『大和物語』における元からの妻の化粧が話題です。「頭かい梳りなどしてをり」とあるので、髪を整えたことはたしかです。これを化粧と言えるかもしれません。ところが、その前の「美しかった容貌が衰えた」の箇所が事実誤認なのです。本文には、「この女、顔かたちいと清らなり」とあるので、美しい容貌であったこと

は間違いありません。けれど、「この女いとわろくなりにければ」とは、具体的に何がよくなくなったのかは書かれていないのです。その直後に「かぎりなく思ひながら妻をまうけてけり」とありますから、元からの妻への思いは持ちながらも、新しい妻を作ったことになるので、どうも容貌が衰えて愛情が薄れたというのは苦しい解釈です。また、新しい妻は裕福だと書かれた箇所に続けて、「かくにぎはしきところに慣らひて、来たれば、この女いとわろげにてゐて」とある部分を解釈すると、**「新しい妻のところの裕福な生活に慣れてから、元の妻のところへ来ると、元からの妻のところはよくない感じで」**となるので、生活状態に関して「わろげ」だと捉えるのが自然です。**元からの妻の家が豊かでなくなったので、夫は渋々新しい結婚をした、**という展開です。したがって、この選択肢も事実と異なります。

③は、両作品の共通部分を話題としています。どちらの話でも夫は「前栽の中に隠れ」、つまり庭の植え込みに隠れているわけですから、**元からの妻が夫に見られていると気付かないのは正しい。**また、身なりを整えているのはどちらも書かれています。歌も詠みます。さてそれが「たしなみのある」かどうか、これは判断を保留しましょうというのが方針でした。また、新しい妻に関しては、**「手づから飯匙とりて、笥子の器物に盛り」**（『伊勢物語』）、**「手づから飯盛りをりける」**（『大和物語』）とあり、事実として正しい。これが「品のない」と言えるかどうか慎重になるとしても、まあ、その結果として振られるので、美徳でないことだけはたしかです。ともあれ、この選択肢には事実誤認がありませんでした。

④は「風吹けば」の歌についてです。「風吹けば沖つしら浪―立つ」はこれで一つの風景となりますが、どうもこの奈良から大阪への山越えに合いませんし、「(立つ) たやま」では意味が通じません。ここは「立つ」と「たつた山」の「たつ」とを重ねながら、「風吹けば沖つしら浪」を序詞と考えるのは正しい。ところが、「たつた山夜半にや君がひとり越ゆらむ」の解釈に誤りがあります。この選択肢は「や」を反語と取って、二人で越えてい

るだろうと解釈していますが、**夫の向かう先が新しい妻のもとですから、二人で山を越えるはずがない**のです。したがって、これは誤読です。この「や」は夜中に龍田山を一人で越えているであろう我が夫の姿を、「らむ」という現在推量で描いたものの、その不確かさのために「や」と軽く疑問を添えたものです。

⑤は、『大和物語』固有の「金椀」の箇所が話題です。先ほど説明したので割愛しますが、「金椀」のエピソードが、掛詞をもとにしたものであることと、夫への思いであることは正しい。ところが、「新しい妻は」という動作主体が間違っています。**正しい動作主体は「元からの妻」です。**

⑥は両作品の夫の行動についての感想です。夫は「こと心ありてかかるにやあらむ」(『伊勢物語』)、「ことわざするにやあらむ」(『大和物語』)とあるように、元からの妻に対して、ほかの人への心や行為があるのかと疑っています。よって、「妻の浮気を疑う」は事実として正しい。また、「風吹けば」の歌の後には、夫の行動として「かなし」と思ったことが書かれています。しかし、古語「かなし」は「かなしい」意のほかに、「いとしい」の意もあります。『伊勢物語』では、直後に**「河内へも行かずなりにけり」と続くので、ここでは、元からの妻へのいとしさを感じたというのが正しい理解**です。したがって、この古語の解釈が誤りです。

このように見てくると、**正解は③**だとわかります。類話の内容合致的な問題は非常に手間がかかりますが、先に挙げた点に注力して乗りきりましょう。

正解・③

第15節 本文と解説

前節では、二つの似た話が並ぶ「類話」の読解法を学びました。共通テストでの複数資料の扱い方には、ほかにもいくつかのパターンが想定されます。先ほどの「類話」が、二つの文章が同等に並んでいる形式だとすれば、本節で扱うのは、明らかに、資料に強弱のある場合ということになります。基本的な読解の仕方としては、「中心的な扱いをする文章」（メイン）を読み、そこに関わる設問をすべて解いたうえで、「補助的な文章」（サブ）を読む、という形で解くのが得策です。

両方をきちんと読んでから解き始めなくてもいいんですか？

もちろん、あの短い時間で、落ち着いて二種類の文章とその相違を見抜けて記憶に残せる人は、それをやってもかまいません。でも、多くの人は、二つを続けて読むと混乱しがちです。ですから、まず「二兎」を追わずに、「一兎」だけ追って、そこで確実に点数を取っておこう、と言っているのです。時間配分も、メインのほうにしっかりかけて、うまく残ればサブも、くらいの気持ちでいたほうが、結果として点数を取れます。入試は、しっかり得点できるように準備をするものですが、実際にはうまく回らないこともあります。そのときのことも考えておいてください、ということです。かなり現実的な話をすれば、共通テストで古文にかけるべき時間は20分弱なのですが、皆さんの実力やほかの科目の難易度などによって変わってきます。仮に、18分だとすれば、サブの

ほうにはせいぜい3~5分といったところでしょう。やはり、時間的になかなか厳しいものがあります。

さて、メインとサブとに区分けできる文章の場合、サブの部分は、古文だったり現代語だったりと、さまざまな可能性があります。ここでは、現代語の解説文の形式を見てみましょう。

問題

大納言殿のまゐり給《たま》へるなりけり。御直衣《なほし》、指貫《さしぬき》の紫の色、雪に映えていみじうをかし。柱もとにゐ給ひて、「昨日今日、物忌《ものいみ》に侍《はべ》りつれど、雪のいたく降り侍りつれば、おぼつかなさになむ」と申し給ふ。「道もなしと思ひつるに、いかで」とぞ御いらへある。うち笑ひ給ひて、「あはれともや御覧ずるとて」などのたまふ御ありさまども、これより何事かはまさらむ。物語にいみじう口にまかせて言ひたるに、たがはざめりとおぼゆ。

(『枕草子』「宮にはじめてまゐりたるころ」)

※大納言殿……藤原伊周《これちか》。

問　次に示すのは、本文を解説した文章である。これを読んで、後のi~iiiの問いに答えよ。

この場面は、中宮定子に仕え始めてまだ日も浅い清少納言が体験したある雪の日の出来事が記されています。中宮の兄である伊周がやって来たその姿は、雪の白に映えてすばらしいものでした。続くやりとりの場面には、和歌の引用があり、その側面からこの場面を見ていきます。「道もなしと思ひつるに、いかで」という発言からは、[X]ことがうかがわれます。続く「あはれともや御覧ずるとて」という発言には、『拾《しゅう》遺《い》和歌集』に載る次の歌が引用されています。

山里は雪降り積みて道もなし今日来む人をあはれとは見む

この歌の第五句を踏まえて、Y のです。この歌には、第三句に「道もなし」という句もあり、先の発言が、実はこの歌を踏まえたものであったことがわかります。引用されている和歌を見破り、そのことがわかるように、「あはれともや」と返答したのです。和歌が必須の教養とされた平安時代の典型的な一場面でした。その場面を見ていた清少納言は、Z と感想を述べています。

i 空欄Xに入る文章として最も適当なものを、次の①~④のうちから一つ選べ。

① 中宮は、道も見えないほどの大雪なのに、どうやって訪れたのかと驚いている
② 中宮は、大雪でどこが道かもわからないのに訪れたことを危険だとたしなめている
③ 伊周は、吹雪で何も見えないのになんとかして来たのだと自身の行動を誇っている
④ 伊周は、道もわからないほど荒れ果てた邸《やしき》に住む妹をかわいそうだと思っている

ii 空欄Yに入る文章として最も適当なものを、次の①~④のうちから一つ選べ。

① 中宮は、「私の境遇を気の毒だと見ていらっしゃるのね」と返答した
② 中宮は、「あなたのことは趣深い方だとわかっているわ」と返答した
③ 伊周は、「私の行為に感動してくれるかと期待して来た」と返答した
④ 伊周は、「中宮様が本心から喜んでいるのかは疑わしい」と返答した

iii　空欄Zに入る文章として最も適当なものを、次の①～④のうちから一つ選べ。
①　相手の発言の趣旨を間違うことなく捉える教養の深さに感動している
②　お互いが心置きなく言い合える兄妹の会話を聞き、うらやましく思った
③　架空の世界の中にしかないと思っていたが現実にもあるのだと感嘆した
④　物語にはよくある決まりきった陳腐なやりとりに、内心あきれてしまった

それでは、この設問の解説をしながら、「解説文」型の戦略を練り上げていきましょう。

まず、解説文の説明が本文のどこの解説であるかを押さえながら、読みます。

解説文「伊周がやって来たその姿は、雪の白に映えてすばらしいものでした。」

本文「大納言殿のまゐり給へる……雪に映えていみじうをかし。」

この対応は大丈夫ですね。続けて、解説文は、和歌の引用という視点から本文の説明をしています。そのため、実は、本文の一部が解説されていないのです。この箇所をきちんと読んでおく必要があります。

本文には、「柱もとにゐ給ひて、『……』と申し給ふ。」とあります。この主体は誰でしょう。前文の主語が「大納言殿（＝伊周）」であることや、柱のあたりに座っているところから考えれば、伊周と考えてよさそうです。では、その発言内容はというと、昨日と今日は「物忌」だったと述べています。「物忌」というのは、何かを慎んで外出を控えることです。「御物忌」などと敬語が付いていないので、伊周は自分が物忌で外出できなかった、と言っています。また、「おぼつかなさになむ」は、［「おぼつかなさ」で］という意味で、その後にどうしたのかが省略されています。しかし、

「昨日今日、物忌に侍りつれど、〔雪のいたく降り侍りつれば、〕おぼつかなさになむ」

この文が、「逆接—〔原因句〕—承《う》け」の形であることに気付けば、伊周は、「物忌みで外出できなかったが、〔雪がひどく降ったので〕「おぼつかなさ」で外出した」となり、「おぼつかなさ」は「気がかりさ」などと訳せばよいとわかります。ここで伊周は、雪が降ったため、中宮のことが気がかりでわざわざ来たと言っているのです。

この発言に対する「御いらへ」つまり、中宮の返答が「道もなしと思ひつるに、いかで」となります。この箇所の解釈がそのまま X にあたります。「『道もなし』と思ひつるに」は、「思ひつる」と敬語のないことに気付けば、その主体は発話主である中宮とわかります。そこに続く「いかで」ですが、その訳例は以下の三つ。

❶疑問　どうして。どうやって。
❷反語　どうして〜か、いや〜でない。
❸願望の強調　どうしても〜（たい）。なんとかして〜（たい）。

ここは「いかで」以降の文が省略されていて難解ですが、訪問してきた伊周を前に、「道もないと思うけれど」と言い出した後を考えれば、「道もないと思うけれど、どうやって来たのか」と伊周へ尋ねたとわかります。この解釈と同じ選択肢を選べば、ｉの答えは①となります。発話主を中宮と判断できれば、①か②ですが、②は「いかで」にあたる内容がないうえ、後述する引用元の和歌の内容とも合いません。

なお、解説文で示された和歌を踏まえれば、中宮は、伊周が自らの邸《やしき》を訪れたことを、歌の中の「雪深い山里まで雪に埋もれた道をわざわざ来た」ことに重ね合わせて、伊周の労をねぎらったことになります。

次は、Y について考えてみましょう。「あはれともや御覧ずるとて」の発言は、中宮の言葉への返事であること、かぎかっこの後が「のたまふ」と尊敬語になっていることの二点から、清少納言が口を挟んだ可能性はなく、伊周が答えたものと取れます。「あはれなり」が多義語で、「御覧ずる」の主体が示されていなくて、「とて」で終わっていることを考えると、なかなか難解です。

解説文では、この発言に和歌の第五句「あはれとは見む」からの引用があると指摘しています。したがって「あはれ」の内容は、和歌に基づいたものとなります。この和歌は、［山里では雪が降り積もって道も見えない。そんな山道を今日わざわざ来てくれるような人を「あはれ」とは見よう］という意味ですから、雪道をわざわざ来てくれる相手への感動や愛情が「あはれ」の内実です。

また、この発言を分析すれば、以下のようなことがわかります。「御覧ずる」は尊敬語なので、主体は伊周が敬意を払う相手、すなわち中宮。「や―御覧ずる」は係り結びの成立。「とて」は、多くの場合、［と言って、と思って］と訳せ、その下に省略があります。ここまでを訳せば、

［「わざわざ来てくれて感動的だ」とあなた様がご覧になるのかと私は思って、〜］

となります。つまり、和歌の詠み手のように、あなたも感動するかと思って何かをしたというのですから、雪の中をわざわざ訪れた、と補うのが正しい解釈です。つまり、伊周は、和歌の詠み手と訪問した相手との関係を、中宮と自分とに置き換えて、あなたに感動してほしくてわざわざ来たのだと言っているのです。この内容に合致するのは、③。

なお、この発言は、中宮にほめてもらいたくて来たという計算ずくの本音を明かしたものではありません。解説文にあるように、中宮の引用した和歌に自分も気付きましたと伝えたに過ぎません。

Z は、筆者である清少納言の感想をまとめたものです。該当箇所は「これより何事かはまさらむ。物語にいみじう口にまかせて言ひたるに、たがはざめりとおぼゆ」です。「何事」「か」と疑問の言葉が重なると反語に

なる確率は増します。すると、「この二人のやりとりにまさるものは何があろうか、いや何もないだろう」というのがこの箇所の訳で、清少納言は、和歌の教養に基づいた二人のやりとりを、最高のものだと賞賛しているのがわかります。

また、「口にまかせて言ひたる」とは、口を突いて出るのに任せているの意で、ここでは深く考えたり練ったりしないのに知性あふれる会話をしている見事さを指します。それは「物語」の中ではよく描かれるものでした。ところが、目の前の二人の対話は、それと「たがはざめり（＝違わないようだ）」と筆者には感じられたというのです。和歌の教養に基づいた、高貴な二人の会話の妙に感動している清少納言の姿が伝わってきます。この解釈に合う選択肢は③。①は二人の教養の深さに感動しているのは正しいのですが、「たがはざめり」が「間違うことなく」の意味ではないこと、「まるで物語の世界のようだ」とする筆者の驚きに触れていない点がやや不足しています。②は、ずけずけと本音を言い合っているのでないことは、先に述べたとおりで、その点が誤り。④は「あきれてしまった」という思いが大きくずれています。

さて、太田は、古文を正確に解釈し理解を深めてから、解説文を読んで解答するという手順をとりましたが、おそらく試験本番の皆さんは、今のようには解かない人のほうが多いでしょう。具体的に言えば、今回の X ・ Y では、発話主体のチェックをして、まず二択に。続けて、該当箇所の解釈を定める、あるいは、これはありえないと判断するという手順でもかまいません。その時のチェックポイントは、第14節で述べたとおりです（☞141ページ）。事実誤認のチェックはやはり大切ですし、何より時間の短縮につながります。

さらに Z の選択肢について一言。①「教養の深さ」、②「言い合える兄妹」、④「物語にはよくある」など、たしかに一部をとれば間違っているとは言えないような、少し紛らわしい選択肢が散りばめられています。これに引っかからないためには、逆に、選択肢からいったん離れてみることも必要です。選択肢を見て、スパッと決まらないと思った場合、あせって選択肢を丁寧に見ると、たいてい失敗します。解けたとしても、検討に時間がかかります。なので、迷った場合は、すぐに古文に戻って、「で、結局どういうこと？」と問いかけてみましょう。自分の言葉で少しまとめてみるのです。「訳」ではなく、「まとめ」です。選択肢を見て迷ってしまうということは、根拠を捉えきれていないということなので、いくら時間をかけても無駄です。本文に戻って根拠をつかむ、これが大事ですし、結局、こちらのほうが時間短縮になります。

正解　i ①　ii ③　iii ③

古文編の最後に、共通テストの実戦的な読解法の一例をお教えしましょう。参考にしてください。

共通テスト読解法

①出典のチェック

・作品内容を知っているかどうか。

・読解上の注意点はないかどうか。

　a 日記・紀行・随筆の類《たぐい》は、筆者が登場人物になるため、その意識付けをして読む。

　b 物語・説話の類であれば、いつものとおりに読む。

②注のチェック（軽め）

・人物関係図があるかどうか。

　もし系図などがあれば、人間関係が複雑だと思われるので、注意して読む。

・人物注だけでなく、語注があるかどうか。
語注は、普通には解釈しにくい箇所なので、必ず目を通す。

③設問文で主体を明示しているかどうかのチェック。

・設問文で主体を明らかにしている場合、古文に主体を書き込んでから読む。

④知識だけで解ける（or 絞れる）問題を解く。

・文学史、文法、単純な単語問題など。

⑤リード文を読んで文章読解へ。

・ストーリーを押さえることに重点を置く。
（主体の書き込みはマスト。わからない箇所は「?」と書いて先へ読み進める。）
・設問は、かなり読めている場合のみ、選択肢を吟味する。
（残りは、後回しにする。）
・うまく読めない箇所は、まず文法的に分析する。
（品詞分解、敬語、文構造の把握など）
・それでも不分明であれば、保留して先へ読み進める。
・一読終了後、読めた箇所・読めなかった箇所を確認し、再度、冒頭から読み進める。

これなら、時間を短縮できそうですね。でも、配分した時間が来ても終わらなかった場合、どうしたらいいですか。

その場合、スパッとあきらめて、現代文や漢文へと移ろう、と太田は言います。いつもなら時間内に間に合うのに、今日はあと二問残っているなんて場合、もうちょっとだけ時間を延ばしたくなりますね。わかります。でも絶対だめ。だって、いつもより時間がかかっているということは、相性が悪いか、頭が回っていないかのどちらかなわけで、いずれにせよ長く付き合っていいことなどありません。全体で得点を上げるためには、割り切りも必要です。

そこまでに、簡単な問題をしっかり得点とするために、③④（☞153ページ）が必要なのです。模試や実力テストなどで練習して、この方法を自分のものにしましょう。練習ではじっくり考えて解くのがよいけれど、入試本番ではあくまでクールに割り切れる合理性が大切です。

第16節 実戦問題

さて、これが総仕上げの実力試し。共通テストの形式に揃えてありますから、20分弱で全問正解、となれば、本番も安心です。

問題 **説話は、伝承されていく過程で表現や内容が異なってくる場合がある。次の【文章Ⅰ】と【文章Ⅱ】は、ともに藤原行成《こうぜい》と藤原実方《さねかた》に関する説話である。【文章Ⅰ】と【文章Ⅱ】を読んで、後の問い（問1〜5）に答えよ。**

【文章Ⅰ】

大納言行成卿《きやう》、いまだ殿上人《てんじやうびと》（注1）にておはしける時、実方中将、いかなる憤《いきどほ》りかありけむ、殿上に参りあひて、言ふこともなく、行成の冠《かぶり》を打ち落として、小庭に投げ捨ててけり。行成、少しも騒がずして、主殿司《とのもづかさ》（注2）を召して、「冠取りて参れ」とて、冠して、守刀《まもりがたな》（注3）より、かうがい抜き出《いだ》して、鬢《びん》かいつくろひて、ア居直りて、「いかなることにて候ふやらむ。Aたちまちに、かうほどの乱罰にあづかるべきことこそおぼえ侍《はべ》らね。その故《ゆゑ》をうけたまはりて、後のことにや侍るべからむ」と、イことうるはしく言はれけり。実方はしらけて、逃げにけり。

をりしも小蔀《こじとみ》より、主上《しゆしやう》御覧じて、「行成はいみじきものなり。かくおとなしき心あらむとこそ思はざりしか」とて、そのたび(注4)蔵人頭《くらうどのとう》あきけるに、B多くの人を越えて、なされにけり。実方をば、中将を召して、「歌枕見て参れ」とて、(注5)陸奥守《みちのくのかみ》になして、流し遣《つか》はされける。やがて、かしこにて失《う》せにけり。

実方、蔵人頭にならでやみにけるを恨みて、執とまりて、雀《すずめ》になりて、殿上の(注6)小台盤《だいばん》に居て、台盤を食ひけるよし、人言ひけり。

一人は忍にたへざるによりて、ウ前途《ぜんと》を失ひ、一人は忍を信ずるによりて、褒美にあへると、たとひなり。

(『十訓抄《じっきんしょう》』八の一)

(注)
1 殿上人……宮中の殿上の間《ま》に入ることを許された、四位五位などの人。
2 主殿司……宮中の清掃などを担当する部署の役人。
3 かうがい……髪をととのえる道具。
4 蔵人頭……天皇の側近として、食事の世話なども行う蔵人所《くろうどどころ》の実質的長官。
5 陸奥守……陸奥国（現在の福島県以北の大部分を指す）の国守。
6 台盤……食膳。

【文章Ⅱ】

一条院の御時、実方、行成と殿上において口論する間、実方、行成の冠を取りて、小庭に投げ棄《す》てて退散す、と云々《うんぬん》。行成あらそふ気無くして、静かに主殿司をよびて、冠を取り寄せて、砂をはらひてこれを着していはく、「C左道《さだう》にいますする公達《きんだち》かな」と云々。主上小蔀《こじとみ》より御覧じて、「行成は召し仕ひつべき者なりけり」とて、蔵人頭に補《ぶ》せらる。実方をば「歌枕見て参れ」とて、陸奥守に任ぜらる、と云々。任国において逝去す、と云々。

(『古事談《こじだん》』二の三二)

問1　傍線部ア〜ウの解釈として最も適当なものを、次の各群の①〜⑤のうちから、それぞれ一つずつ選べ。

ア　居直りて

①　感極まって　②　くつろいで　③　居ずまいを正して　④　開き直って

⑤　気を静めて

イ　ことうるはしく

①　簡潔な言葉で　②　直情径行に　③　美辞麗句で　④　理路整然と　⑤　綺麗《きれい》な声で

ウ　前途を失ひ

①　将来をなくし　②　寿命を縮め　③　行く先が見えず　④　信用を失い

⑤　官職を取られ

問2　傍線部A「たちまちに、かうほどの乱罰にあづかるべきことこそおぼえ侍らね」とあるが、このときの行成の心情はどのようなものか。その説明として最も適当なものを、次の①〜⑤のうちから一つ選べ。

①　実方が暴行の理由をなかなか言わないことに不満な気持ち。

②　何も言わずに殴りつけてきた実方に対して憤慨する気持ち。

③　冠を庭に投げ捨てた実方の態度に対して不審に思う気持ち。

④　帝《みかど》の前で実方と争いをするわけにもいかず困惑する気持ち。

⑤　唐突に実方に冠を投げ捨てられたことへの不愉快な気持ち。

問3　傍線部B「多くの人を越えて、なされにけり」とあるが、その説明として最も適当なものを、次の①～⑤のうちから一つ選べ。

① 帝は、多くの人の意見を無視して、行成の出世を決定した。
② 帝は、殿上の間にいる多くの人より先に行成のふるまいを賞賛した。
③ 行成は、位に就くべき多くの人より先に蔵人頭になった。
④ 実方は、蔵人頭から外れ、多くの人にさげすまれることになった。
⑤ 実方は、就任が予定されていた蔵人頭になれなくなった。

問4　傍線部C「左道にいまする公達かな」の解釈として最も適当なものを、次の①～⑤のうちから一つ選べ。

① 薄情な貴族の子弟たちだな。
② 貴族というのは不自由なものだ。
③ 実方は平和主義だと聞いていたのだが。
④ 実方はじつにひどい人間だ。
⑤ 仲裁しない者が帝だなんて。

問5　次に掲げるのは、**【文章Ⅰ】**と**【文章Ⅱ】**に関して、生徒と教師が交わした授業中の会話である。**【文章Ⅰ】**と**【文章Ⅱ】**の解釈として、会話の後に六人の生徒から出された発言①～⑥のうち、最も適当なものを一つ選べ。

生徒　この実方という人、たしかに暴力を振るったのはよくないけれど、相手を殴ったわけではないし、冠を取っただけですよね。なんでこんな話を昔の人は残したのかなあ。

教師　それは、冠に対する意識の違いもありそうだね。平安時代の貴族の男性は、成人すると髪をたばね、「冠」や「烏帽子《えぼし》」と呼ばれる帽子のようなものをかぶって外出したんだ。どうやらこれが取れた頭を見せることはとても恥ずかしかったらしい。寝ているときも着け続ける人もいたくらいだからね。

それがわかると、実方の行動についても少しイメージがつかめてくるかな。

生徒　大人としてやってはいけないことをしたんですね、しかも殿上の間という公的な場所で。でも、なんで実方はそこまで怒ったんだろう。

教師　どちらの文章にもその理由は書いていないので、わからないけれど、ちょっと面白い説話が『撰《せん》集抄《じゅうしょう》』八の一八（【文章Ⅲ】）に残っているんだよ。

【文章Ⅲ】

昔、殿上の男《をのこ》ども、花見むとて東山におはしたりけるに、にはかに心なき雨の降りて、人々、げに騒ぎ給《たま》へりけるが、実方の中将、いと騒がず、木のもとによりて、かく、

さくら狩り雨は降り来ぬおなじくは濡《ぬ》るとも花のかげに暮らさん

と詠みて、隠れ給はざりければ、花より漏りくだる雨にさながら濡れて、装束しぼりかね侍《はべ》り。このこと、興あることに人々思ひあはれけり。またの日、斉信《ただのぶ》大納言、主上に「かかるおもしろきことの侍りし」と奏せられけるに、行成、その時蔵人頭にておはしけるが、「歌はおもしろし。実方はをこなり」とのたまひてけり。この言葉を実方もれ聞き給《たま》ひて、深く恨みを含み給ふとぞ聞こえ侍る。

生徒　花見のときの実方のふるまいをほかの人々はほめていたのに、行成は批判したんですね。なるほど、それが原因なんですね。

教師　いや、『撰集抄』では、行成が「蔵人頭」という地位にすでに就いているから、さっきの**【文章Ⅰ】**や**【文章Ⅱ】**とは矛盾するね。このあたりを少し板書で整理してみよう。

①　生徒A――**【文章Ⅱ】**の行成は、「左道にいまする公達かな」と一言しか発していないので、長々と話して相手を論破した**【文章Ⅰ】**よりも、行成の寡黙で誠実な人柄が強調されていると読めます。

②　生徒B――**【文章Ⅱ】**では、「あらそふ気無くして」や「静かに主殿司をよびて」とあるように、行成は落ち着いた行動をしているのに対して、**【文章Ⅰ】**では、主殿司にすぐに冠を取りに行かせるというせっかちな面が対比的に描かれていると読めます。

③　生徒C――**【文章Ⅰ】**では、「大納言」と明記して、行成のその当時の地位の高さを強調する書き方がされているので、行成の地位を書かない**【文章Ⅱ】**よりも、実方の行動の無礼さがいっそう強調されていると読めます。

④　生徒D――**【文章Ⅰ】**では、**【文章Ⅱ】**に書かれた「口論」の語が書かれていないことに注目すると、**【文章Ⅰ】**で描かれる実方のほうが唐突に行動に出てしまったことが強調されていると読めます。

⑤　生徒E――帝の行動を見比べてみると、**【文章Ⅰ】**では、帝が実方を呼んで直接に話をしているため、情け深い人物として描かれていますが、**【文章Ⅱ】**では、その場面がないので、厳格さが強調されたと読めます。

⑥　生徒F――**【文章Ⅲ】**を読んでみると、実方はかなり上手な歌詠みだとわかるので、**【文章Ⅰ】【文章Ⅱ】**共に、帝が「歌枕見て参れ」と言ったのも、実方に歌の修業をさせようとする優しさの表れだと読めます。

訳

【文章Ⅰ】

大納言行成卿が、まだ殿上人でいらっしゃったとき、実方の中将は、どのような怒りがあったのだろうか、殿上の間に参上して出会って、何も言わずに、行成の冠を打ち落として、庭に投げ捨ててしまった。行成は、少しもあわてずに、主殿司をお呼びになって、「冠を取って参れ」と命じて、冠を着けて、守刀から、笄《こうがい》を抜き出して、髪をととのえて、居ずまいを正して、「どういうことでございましょうか。突然に、これほどのひどい仕打ちを受けるようなことは記憶にございません。（私の対応は、）その理由をお聞きした、その後のことでございましょうか」と、理路整然とおっしゃった。実方はしらけて、逃げて行ってしまった。

ちょうどそのとき小蔀から、帝がご覧になっていて、「行成はたいしたものである。これほど思慮分別の心があるだろうとは今まで思っていなかった」と言って、そのとき蔵人頭の欠員があったのだが、たくさんの（蔵人頭になるべき）人を飛び越す形で、（行成を蔵人頭に）なさった。実方については、中将の職をお取り上げになって、「歌枕を見て参れ」と言って、陸奥国の国守にして、左遷なさった。（実方は、）そのまま、そこで亡くなってしまった。

実方は、蔵人頭にならずに終わってしまったことを恨めしく思って、（この世への）執着が残って、雀《すずめ》に生まれ変わって、殿上の小台盤のところに着いては、食事をついばんだということを、人々が噂《うわさ》した。

一人は忍耐力を持たなかったために、将来（のすべて）をなくし、もう一人は忍耐する大切さを信じたために、恩恵をこうむることができたという、典型的な話である。

【文章Ⅱ】

一条院のご治世に、実方は、行成と殿上の間で口論するうちに、実方は、行成の冠を取って、小庭に投げ捨てて退散する、と云々。行成は争う気もなくて、静かに主殿司を呼んで、冠を取り寄せて、砂を払ってこれを着けてから言うことには、「ひどいことをなさる方だなあ」と云々。帝は小蔀から（この様子を）ご覧になって、「行成は召し使うのにふさわしい者であるよ」と言って、蔵人頭に任命なさる。実方を「歌枕を見て参れ」と命じて、陸奥国の国守に任命なさる、と云々。（実方は）任地の国で亡くなる、と云々。

【文章Ⅲ】

昔、殿上人たちが、花見をしようと思って東山にいらっしゃったところ、急に無粋な雨が降って、人々は、たしかにあわてふためいていらっしゃったが、実方の中将は、たいしてあわてずに、（桜の）木のもとに寄って行って、このように（歌を詠んだ）、

さくら狩り……＝桜の花を見に来てみると雨が降ってきた。どうせ同じことなら、たとえ雨に濡れるにしても
花のもとで過ごそう。

と詠んで、（雨から）逃げなさらなかったので、桜の花からしたたり落ちる雨ですっかり濡れて、装束も（いくら水を絞っても）絞りきれません。この（実方の）ふるまいを、おもしろいことだと人々は思っていらっしゃった。翌日、斉信の大納言が、帝に「（昨日は）このような趣深いこと（＝実方のふるまい）がございました」と奏上いたしなさったところ、行成は、その当時蔵人頭でいらっしゃったが、「歌は趣がある。（しかし、そのようなふるまいをした）実方はおろかだ」とおっしゃった。この発言を実方も漏れ聞きなさって、深く憎しみを抱いていらっしゃると噂《うわさ》になっています。

問1から解説していきます。

ア「居直りて」は、重要古語**「ゐなほる」**の語義が問われています。「ゐなほる」は、ワ行上一段動詞「居《ゐ》る」とラ行四段動詞「直る」が付いた複合動詞で、「居る」が「座る」の意を基本とすることから、**【きちんと座り直す、居ずまいを正す】**などと訳す語。なお、きちんと座り直す意から転じて、（自分の不利な点を相手に突かれたときに）座り直して相手に何かを言い返そうとする意、すなわち急に強い態度に出る意も出てきますが、ここの行成は不利な点を指摘されていないので合いません。したがって、**正解は③**。

イ「うるはしく」は、シク活用形容詞**「うるはし」**の連用形。「うるはし」は礼儀上欠点がなく整った様子を指す語で、【❶端正だ、整っていて美しい。❷誠実だ、きちんとしている。❸正しい、正式だ。❹綺麗だ、美しい。】などと訳します。①「簡潔な言葉で」、②「直情径行に（＝感情のままに行動するさま）」は語義にないので不可。③「美辞麗句で」、⑤「綺麗な声で」は、❹の語義に合致しますが、「美辞麗句」とは飾り立てた言葉のことで、この行成の発言に、特に飾り立てた表現はないので合いません。⑤も、後の内容につなげた場合に、「綺麗な声だから実方はしらけた」となり、合いませんね。④「理路整然と」であれば、❶の語義に合致し、感情的に相手に食ってかかる実方に対して、**ムキにならずに冷静に応対した行成の「理路整然と」した言葉に、実方の気勢がそがれた**ことになり、文脈にも合致します。したがって、**正解は④**。

ウ「前途を失ひ」は、**「前途」**の語義が問われています。名詞「前途」は、これから先にあるものを、時間的・空間的・社会的に用いる語で、【❶進む先、落ち着く先。❷ものの終わり、最期《さいご》。❸勝負所、瀬戸際。❹家の格で将来なるはずの官職、極官《ごっかん》。】などと訳す語。ここでは直前に「忍にたへざるによりて」とあるので、実方について語られています。実方が失ったものを考えればよいのです。**都以外の地へ左遷されたということは将来性を失ったということになるので、**①**「将来」がふさわしい。**②「寿命」は❷の語義と合いそうですが、「失ひ」

が合いません。③「行く先」は空間の問題になっていて、文脈に合いません。④「信用を失い」は内容は良いが、「前途」の語義にないので不可。⑤「官職」は、❹の語義に合いますが、「官職を取られ」とは既に得た官職を取られることで、将来なるはずの官職を失うことにはなりません。したがって、**正解は①**。

続いて、**問2**。「たちまちに」は、現代語にも通じ、「突然、すぐに、今まさに」などと訳す語。ラ行四段動詞「あづかる」は「関与する、仲間になる、受ける」などと訳す語。「おぼえ侍らね」は、ヤ行下二段動詞「おぼゆ」の連用形と、丁寧の補助動詞「侍る」の未然形と、打消の助動詞「ず」の已然形の付いた句。「ず」が已然形になるのは、上にある係助詞「こそ」の結びであるため。全体としては、**「突然に、これほどのひどい仕打ちを受けるようなことは記憶にございません」**などと訳せます。ここでいう「これほどのひどい仕打ち」とは、実方が行成の冠をいきなり打ち落として庭に投げ捨てた、一連のふるまいを指します。**問5**の教師と生徒の会話に見られたように、当時の男性にとって、冠を取られ、何も着けていない頭を見られることは、ある意味では裸を見られるよりも恥ずかしいことでした。したがって、頭を見られた恥ずかしさ、実方の行動へのとまどい、あるいは怒り、といった感情が想定されます。その意味では、①〜⑤の選択肢のまとめにあたる箇所は、「不満、憤慨、不審、困惑、不愉快」どれも許容範囲内です。そこで、各選択肢の前半部を検討していくことになります。①は「実方が暴行の理由をなかなか言わないこと」への不満とありますが、ここは初めて実方に理由を尋ねた場面であり、「なかなか言わない」が合いません。②は、「何も言わずに」は本文と合致するものの、「殴りつけてきた」が誤り。実方は冠を打ち落として投げ捨てたのであって、行成を殴ったのではないですね。③は、事実としておおむね正しいですが、「乱罰」という行成の言葉の核心は、冠を外されたことにあり、それをひどい仕打ちだと思っていることも明らかです。したがって、「なぜ庭に投げ捨てたのか」という疑問を抱く場面ではありません。

④は、後に「をりしも」とあり、偶然帝が見ていたという状況なので、「帝の前」であることを行成は知りません。また、他人の目を気にするそぶりも描かれていません。⑤は、**「乱罰」の核心である冠を外されたことについて触れており、本文の主題でもある「忍を信ずる」と重ねれば、行成が何かに耐えていたことがわかります**。とすれば、内心の怒りや不愉快さを耐えて、大人の対応をしたと取るのがよいですね。したがって、**正解は⑤**。

問3にいきます。傍線部にある「なされにけり」は、サ行四段動詞「なす」に助動詞「る」、助動詞「ぬ」、助動詞「けり」の付いたもので、助動詞「る」を尊敬とすると「なさった」と訳すことになり、主語は帝。また、受身とすると「された」となり、主語は行成。ここでは、帝の行為が「御覧じて、『…略…』とて」と続くので、尊敬と取り、主語を帝とするのが適切です。また、その目的語は、直前に「蔵人頭」の欠員があると語られることからわかります。この箇所は「帝は蔵人頭になさった」という意味になります。「多くの人を越えて」とは、その文脈に合わせれば、「蔵人頭になるべき多くの人を飛び越える形で」などと理解し、行成が大抜擢《ばってき》されたと理解できます。この内容にあたるものを探せばよいのです。傍線部の主語は帝ですが、帝を主語とした①②の選択肢は、それぞれ、①「人の意見を無視して」、②「殿上の間にいる多くの人」「賞賛した」の箇所が明らかに誤りなので不可。③は、傍線部の内容を**行成を主語として言い換えた**ものなので、**正解は③**。

問4です。**「左道」**と**「公達」**の意味内容の把握がポイント。「左道」とは「正しくないこと、悪いこと」を指す語。重要古語「公達」は、「❶身分の高い家柄の子息。❷あなたさま。」などと訳す語。ここは、口論の末、実方が行成の冠を投げ捨てて立ち去った後の場面です。行成は落ち着いて、まず冠を着け直し、傍線部を口にしたというのです。とすれば、**自分を辱《はずかし》めた実方の行為に対して「左道」と言い、ここの「公達」とは実方のこと**

とわかります。①は「公達」の語義には合いますが、これに該当する人物は本文中に出てこないので不可です。②も「公達」を貴族一般としており、合いません。⑤は、帝を話題としているのが誤り。③と④は、いずれも実方を話題としているうえに、実方を不愉快に思う気持ちから出た語句として悪くはありません。しかし、③「平和主義だと聞いていた」は、本文中から読み取りがたいうえに、「聞いていた」という過去の事実を語る選択肢は、「いまする」という過去の助動詞を持たない傍線部と合いません。したがって、**正解は④**。

さあ、最後の**問5**です。類話における内容合致の場合には、**対象となる文章と照合して、事実誤認を見つける**という方針を持つことが大事だと先に述べました（☞第3章第14節）。その視点から各選択肢を見ていきましょう。

①は、**【文章Ⅱ】**の行成を対象として「一言しか発していない」と言っているのは事実どおり。一方、**【文章Ⅰ】**の行成がそれより長く話しているのも事実。しかし**「相手を論破した」は実方が無言のまま帰った事実とずれます**。したがって不可。

②は、**【文章Ⅱ】**の行成を「落ち着いた行動をしている」と取っており、これは事実と認定してよいでしょう。一方、**【文章Ⅰ】**については、「すぐに冠を取りに行かせる」とまとめていますが、**【文章Ⅰ】**には**「すぐに」という内容は直接的には書かれていません**。さらに、「せっかちな面が対比的に描かれている」という指摘は、**【文章Ⅰ】**の中で**「ことうるはしく」と行成の発言が評されたり、帝が行成の「おとなしき心」を褒めたりしているところと矛盾します**。したがって不可。

③は、行成の地位の書き方に触れています。**【文章Ⅰ】**には「大納言」とあり、**【文章Ⅱ】**には書かれていません。しかし、**「大納言」を「行成のその当時の地位の高さ」としている点が誤り**です。本文では「大納言行成卿、

いまだ殿上人にておはしける時」とあり、**当時はまだ「殿上人」**なのです。「大納言」とは行成がその生涯で就いた最も重い役職（「極官」と呼ぶ）で、後の時代の人々が、敬意を表して、その人の最高位で呼んだのです。

なお、大納言は、左大臣・右大臣に次ぐ要職で、「殿上人」ではなく、「上達部《かんだちめ》」にあたります。

上達部（かんだちめ）	**超一流**	摂政・関白・大臣・大納言・中納言・参議および三位以上の貴族。
殿上人（てんじょうびと）	**一流**	清涼殿の殿上の間への昇殿を許されている人。四位・五位の貴族と六位の蔵人。 ※「**蔵人**（くろうど）」……蔵人所に所属する天皇の側近。秘書的な役目を果たす。
地下人（じげにん）	**普通**	昇殿を許されていない人。六位以下の貴族。

④は、**【文章Ⅱ】**の「口論」についての指摘です。これは事実であり、**【文章Ⅰ】**には見られません。すると、問題は、**【文章Ⅰ】**の「実方のほうが唐突に行動に出てしまった」と言えるかどうかです。**【文章Ⅰ】**の実方は「登場→無言→冠を投げ捨てる→（行成の発言）→しらけて帰る」、**【文章Ⅱ】**では「口論→冠を投げ捨てる→退散する→（行成の発言）」と、出来事の順序が異なっています。**【文章Ⅱ】**では、口論の末に対立して興奮して冠を投げたという因果関係が示唆《しさ》的に描かれています。ところが、**【文章Ⅰ】**では、実方の行動の理由はわからないままです。この差異を**【文章Ⅰ】の実方のほうが唐突だと指摘するのは正しい**と言えます。したがって、**正解は④**。

⑤は、帝の行動について書かれています。**【文章Ⅰ】**では**「帝が実方を呼んで直接に話をしている」**とありま

すが、これは事実誤認です。「実方をば、中将を召して、『歌枕見て参れ』とて、陸奥守になして」という部分は、「実方をば」を「中将を」と言い直したのでなく、「中将を召して、……陸奥守になして」と述語をつなげているのであり、「中将」という役職を取り上げて「陸奥守」という役職にしたと取るべき箇所です。したがって、これは不可。

⑥は、**【文章Ⅲ】**から「実方はかなり上手な歌詠みだとわかる」としています。行成から「歌はおもしろし」と評されていることからも、それは正しいと言えます。ただ、帝の行動の真意に事実誤認があります。帝が実方に修業をさせようと思ったのだとすれば、**【文章Ⅰ】**の**「二人は忍にたへざるによりて、前途を失ひ」という部分と合いません。**実方は我慢できないためによい官職に就けなかったと解するのがよく、この点が誤りとなります。

正解
問1 **ア** ③ **イ** ④ **ウ** ①
問2 ⑤
問3 ③
問4 ④
問5 ④

さあ、これで古文の対策はバッチリです。巻末資料で頻出単語の確認もしてくださいね。

第2部

漢文編

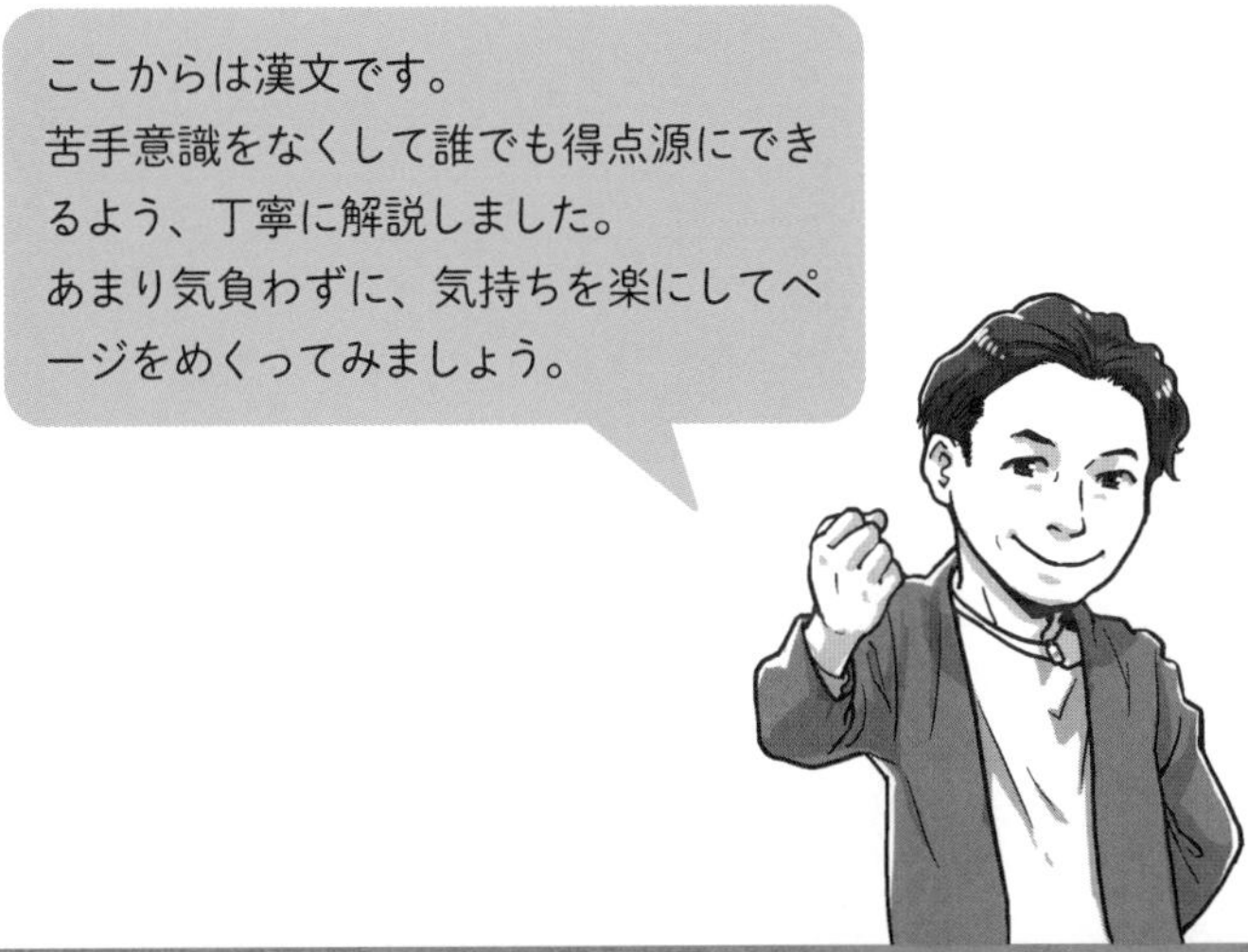

ここからは漢文です。
苦手意識をなくして誰でも得点源にできるよう、丁寧に解説しました。
あまり気負わずに、気持ちを楽にしてページをめくってみましょう。

第1節　返り点

漢文に対して難しいイメージを持っている人が多いと思いますが、それはまったくの**誤解**です！　漢文というものがどういうものなのかを知ってもらえれば、漢文は**簡単**で、そして私たちにとって一番大切な入試のうえで**得点源**になるということがわかってもらえるはずです！

不安……。とりあえず句形と単語をやっておけば大丈夫ですか？

残念ながら……。それだけじゃダメなんです。きっと漢文の読み方はわかっても、点数が面白いほどとれるようにはなりません。

泣きそう。私、漢文勉強したことないもん。どうしよう…。

そのための本なのです。点数が面白いほどとれるようになるためには、**漢文というものはどういうものなのか、**そして**入試に向けて心得ておくべきことは何なのか**を知る必要があります。そうすれば、**漢文は必ず得点源になります。**

よし、その気になったら、さっそく始めましょう。

漢文はもともと漢字だらけで書かれた昔の中国語の文章です（入試では文章以外に詩が出たり、また日本人が書いた漢文や漢詩も出ます）。

そのため、まずは次のことを心得ておきましょう。

> **①漢文と日本語は文構造（語順）が異なる。**
> **②漢字だけの文章では日本語として不自然。**

そこで、日本語（今でいうところの昔の日本語）として読むための解決法として①**には返り点**が、②**には送り仮名**が開発されました。

共通テストの漢文で満点を目指すための**スタートとして、この返り点と送り仮名をきちんと使って**漢文を正しく読めて意味をつかむ訓練をしていかなければいけません。

それでは、次の文を見てください。

郁《いく》離《り》子《し》曰《ハク》、「世《ニ》有《ルハ》下以《もつテ》レ術《ヲ》使《ヒテ》レ民《ヲ》而無《キ》二道《だう》揆《き》一者上、其《そレ》如《ごとキ》二狙《そ》公《こうノ》一乎《かト》。」

※郁離子……人名。　道揆……道理にかなった決まり。

このような文をスラスラ読めるようになるために必要なことを学んでいきます。

大丈夫。慣れれば難しくありません。基本は**上から順に**読んでいきます。「郁離子」は注釈にあるとおり、人物の名前です。その次の「曰」は、日曜日の「日」とは違い、「いはく（いわく）」と読んで、「～が言った・～がおっしゃった」と訳す、会話文のスタートを表す語です。はい、もう一度読み直しましょう。その際に漢字の右下に付いているカタカナも一緒に読んでください。これで「いくりしいわく」（郁離子が言った）と読み訳せましたね。

さて、「有」「以」「無」などの左下に「下」「レ」「二」などがあります。これが**返り点**です。そこで、次の**返り点の法則を知っておきましょう。**

返り点の法則

レ点……下から上に**一文字**返って読みたいときに付ける。

②出《ヅ》レ　①家《ヲ》　（家を出《い》づ）

④無《シ》レ　③不《ルハ》レ　②買《ハ》レ　①物《ヲ》　（物を買はざるは無し）

一・二・三点……下から上に**二文字以上**返って読みたいときに、下から「一」「二」と順番に付ける。

③行《ク》二　①学　②校《ニ》一　（学校に行く）

上（中）下点……一・二点を付けた部分を挟んで、さらに下から上に返って読みたいときに、下から「上」「中」「下」と順番に付ける。

※一・二点だけで読もうとすると、次のようにうまくいかない場合があります。

嘆③二 **行**③二 **学**① **校**②一 **眠**一

※これでは一点から二点に返ろうとしたとき、二点が二箇所あるためにどちらの二点に返ればよいのか混同してしまいます。そこで、後に読む一・二点を上・下点にすることによって混同を避けました。

嘆《ク》⑤下 **行**《キテ》③二 **学**① **校**《ニ》②一 **眠**《ルヲ》④上 （学校に行きて眠るを嘆く）

※この例文のように、「眠」から「嘆」に一回しか返らないときは、「上・中」ではなく「上・下」とします。

甲・乙・丙点……上（中）下点を挟んで、さらに下から上に返って読みたいときに付ける。

ほかにも返り点はありますが、共通テストでは**この四種類さえマスターしておけば充分です。**

例文の文章も、下の「術」から上の「以」に一文字返って読むために「以レ術」と読んでいます。これで「術を以て」と読んで、「術を使って」と訳します。では、その返り点を使って、「郁離子曰…」を最初から指で追いながら順番どおりに三回読み直してみましょう。少し慣れましたか。

ちなみに、返り点の付いた「以」は頻出です（☞293ページ）。

どうしてわざわざ下から返って読まなければならないんですか？

それは171ページの①で話したように、**日本語と昔の中国語（漢文）の文構造（語順）の違い**があるからです。

日本語と昔の中国語（漢文）の文構造（語順）の違い

日本語

主語＋**目的語**＋**述語（動詞）**。

例 私は（主語）あなたを（目的語）愛しています（述語（動詞））。

漢文（昔の中国語）

主語＋**述語（動詞）**＋**目的語**。

例 我（主語）愛（述語（動詞））君（目的語）。

このように文構造（語順）が違うので、**漢文を日本語として読むために、順序を変えて読めばよい**となり、**返り点**を使って述語（動詞）と目的語を入れ替えて読めるようにしました。これがわかりやすい例として、「使レ民」のところを見てみましょう。「使ヒテ」（使って）は述語（動詞）です。漢文の構造（語順）にするとその下の「民」が目的語です。

述語（動詞）	目的語
使	民

だからこの**述語（動詞）**＋**目的語**を、日本語の**目的語**＋**述語（動詞）**の順にするために、返り点（ここでは一字返るので、法則に従って**レ点**（☞172ページ）を付けて、目的語の「民」に、目的語に付ける送り仮名（ヲ・ニ・ト・ヨリ）の「ヲ」を付けて読んでいます（☞181ページ「送り仮名の法則②」）。

述語（動詞）	目的語
使ヒテ㆑	民ヲ

これで「使民」が「民を使ひて」「民を使って」と、**日本語らしく**なったわけです。
返り点がどれだけ大切なものかをわかってくれましたか。

なるほど。でも、右下のカタカナがよくわからないです。

とても大切な指摘ですね。それが何度も話に出てくる**送り仮名**というものなんです。それを次節で見ていきましょう。

また、**置き字**と言われる漢字は読みません。次のようなものが置き字です。

・文中にあって読まない置き字

而・於・于・乎

・文末にあって読まない置き字

矣・焉

置き字は、読みませんが、きちんと役割があります（☞293〜296ページ）。

漢文の設問には**書き下し文**が付いていることがあります。この書き下し文とは何かと言うと、返り点と送り仮名が付いた漢文（漢詩）を、読む順番に従って、送り仮名も含めて書いたもののことです。書き下し文を書きなさいと共通テストで問われることはまずありませんが、選択肢の中から正しいものを選ぶことはあります。そのために知っておくべきルールがあるので、それだけは押さえておきましょう。

書き下し文の法則

ルール①

・**送り仮名**をカタカナで書いてはだめ！　↓　**ひらがな**で書くこと。

ルール②

・**助詞・助動詞**は漢字で書いてはだめ！ → **ひらがな**で書くこと。

※助詞・助動詞の漢字については、185ページを参照。

ルール③

・**置き字**は書いてはだめ！ → **書かずにそのままとばす**こと。

ルール④

・指定がない限りは現代仮名づかいで書いてはだめ！ → **歴史的仮名づかい**で書くこと。

ルール⑤

・**再読文字の二度目の読み**を漢字で書いてはだめ！ → **ひらがな**で書くこと。

問題

次の書き下し文のとおりに読めるように、漢文の右側にある「読む順番の数字」をヒントにして、左下に適当な返り点を付けなさい。

[1] 甫《ほ》泣きて対《こた》へて曰はく、「敢《あ》へて是《こ》れに当たるに非《あら》ざるなり、亦《ま》た報ゆるを為すなり」と。

甫①泣②而③対④曰⑤、「非⑨敢⑥当⑧是⑦也⑩、亦⑪為⑬報⑫也⑭。」

（センター試験・改）

[2] 嘉祐《かいう》曰はく、「古《いにしへ》より賢相の能《よ》く功業を建て生民を沢する所以《ゆゑん》は、其《そ》の君臣相《あ》ひ得ること皆魚の水有る

がごとくなればなり」と。

嘉①祐②曰③、「自⑤古④賢⑥相⑦所⑮-以⑯能⑧建⑪功⑨業⑩沢⑭生⑫民⑬者⑰、其⑱君⑲臣⑳相㉑得㉒皆㉓如㉘魚㉔之㉕有㉗水㉖。」

（センター試験・改）

注意すべき返り点を挙げておきます。

「○二○ ○一レ○」を「○二○ ○レ○一」にしていませんか？

「○二○ ○レ○一」をよく見てみましょう。「レ点」は下から上に一字返って読み、「一点」を読んだら次は「二点」の付いた漢字に返って読まなければならないのがルールです。「○二○ ○レ○一」では、一番下の○に「レ点」と「一点」の二つが関連していますが、○の次にレ点で上に返る漢字と、二点で返る漢字を同時に読むことは不可能です。そこで、一点とレ点を合体させた**「一レ点」**の出番です。1の「当レ是」、2の「有レ水」がそれにあたります。

「○二-○ ○一」を「○-○レ○」にしていませんか？

熟語に返るときに間違えやすいのが「○-○レ○」としてしまうところです。**熟語はあくまでも二字**です。その二字に返るためには、その二字の間に返り点を付けましょう。これが問題2の「所以」です。この「所以」は重要単語で頻出です（☞345ページ）。もしここを間違えていたら、悪い癖が付くまえに〈返り点の法則〉をすぐにやり直して解き直しましょう。

正解
1 **甫泣而対曰、「非㆓敢当㆒㆑是也、亦為㆑報也。」**
2 **嘉祐曰、「自㆑古賢相所㆘以能建㆓功業㆒沢㆗生民㆖者、其君臣相得皆如㆓魚之有㆒㆑水。」**

漢文（昔の中国語）の

主語＋**述語（動詞）**＋**目的語**。

という構造（語順）の文を、日本語の

主語＋**目的語**＋**述語（動詞）**。

の形で読むために、返り点と送り仮名を使うのです。

主語＋**述語（動詞）**㆓㆑＋**目的語**ヲ・ニ・ト・ヨリ㆒。

※返り点は、**目的語**が一字の場合はレ点を使い、**目的語**が二字以上の場合は一・二点を使います。

まずはこれをしっかり頭に入れておきましょう。漢文にももちろん副詞や前置詞、補語、形容（動）詞はあります。**基本構造に慣れてきたら、動詞の前に副詞や前置詞、動詞の位置に形容詞や形容動詞、目的語の位置に補語の漢字が置かれることも理解しておきましょう。**

第2節 送り仮名

前節の例文をもう一度見てみましょう。

> **郁《いく》離《り》子《し》曰《ハク》、「世《ニ》有《ルハ》下以《もつテ》レ術《ヲ》使《ヒテ》レ民《ヲ》而無《キ》二道《だう》揆《き》一者上、其《そレ》如《ごとキ》二狙《そ》公《こうノ》一乎《かト》。」**
>
> ※郁離子……人名。　道揆……道理にかなった決まり。

「郁離子」は注釈にあるように人物名なので、**文構造だと主語**になります。その下の「曰」は「〜が言った・〜がおっしゃった」という意味の**述語（動詞）**です。この「曰」は音読みだと「エツ」と読みますが、「郁離子がエツ」ではおかしいでしょう。なので「いわく」と読んで「郁離子が言った」→**「郁離子曰はく」**と文字を足しました。

この**日本語にしたときに不足する文字を足したもの、**それが**漢字の右下にカタカナで付ける送り仮名**というものです。

主語	述語（動詞）
郁離子	曰《ハク》、

「郁離子が」と訳すのに、どうして「ガ」を付けないんですか？

送り仮名の法則①

通常、**主語には「ハ」「ガ」などの送り仮名は付けない。**

子×（主語）曰《ハク》、　公×（主語）問《フ》、

このように、**漢文では主語を「〜は・〜が」と訳しても、送り仮名「ハ・ガ」は付けないのがルールです。**もし「ハ」が付いているとしたら、「この世の中というものは」などと主語を強調したり、「今回のことは前回よりはましだ」などと比較されたりするときです（☞248ページ）。このルールは覚えておきましょう。

次に「世」は「世の中に・この世に」という意味なので、「ニ」を付けて**「世に」**と読んでいます。「使民」は「人民を使って」という意味なので、**目的語の位置には決まった送り仮名**を付けます。

送り仮名の法則②

目的語の位置には「ヲ」(〜を)・「ニ」(〜に・で)・「ト」(〜と)・「ヨリ」(〜から)・「ヨリモ」(〜より(も))の送り仮名を付ける。

行《おこなフ》レ之《これヲ》（目的語の位置）　之《ゆク》レ街《まちニ》（目的語の位置）

なので、**「民」に「ヲ」、「使」に「ヒテ」を付けて読んでいます**（述語（動詞）の「使」が「使ヒテ」となるのは、置き字の「而」（☞176ページ）があるためです。詳しくは第3章で解説します）。

「無道揆」は注釈にあるように「道理にかなった決まりがない」と訳したいので「道揆無き」、「有〜者」は「ことがある」と訳したいので**「者有り」**と読んでいます。

意味がわからない……。文構造で学んだけれども、「有・無」は「ある・ない」だから述語でしょ。でもその……目的語に送り仮名「ヲ・ニ・ト・ヨリ」がないよ……。

送り仮名の法則③

有・無の下にある目的語の送り仮名には「ヲ・ニ・ト・ヨリ」を付けない。

たしかに「有・無」は「〜がある・〜がない」と訳す述語（動詞）です。

述語（動詞）

主語＋有＋目的語。

主語＋無＋目的語。

ところが、普通に文構造（語順）に従って目的語から述語（動詞）の順番で訳すと「～をある・～をない」となり、おかしな訳になりますね。

よって**「有・無」の下の目的語は、意味から考えて主語に変化**させて読みます。主語になるということは、送り仮名の法則①で学んだように**送り仮名は付けず**、「～あり・～なし」と読みます。

そして本来の主語であったものは「ニ」を付けて「東京に・大阪に」など、場所を指す言葉に変化させて読みます（この場所を指す言葉は省略されることもあります）。

> **場所（ニ）** ← ~~主語~~ ＋ 述語（動詞） **有《あり》（無《なし》）**二レ ＋ ~~目的語~~ → **主語。**一 ×（送り仮名なし）
>
> 読み方 ～（に）～あり（なし）。
>
> 訳し方 ～（に）～があった（なかった）。

だから例文も

> **世ニ有ルハ下以テレ術ヲ使ヒテレ民ヲ而無キ二道揆一者上、**
>
> ⇐
>
> 場所 **世**　述語（動詞） **有**　主語 **以術使民而無道揆者**

さらに、主語の中の「無道揆」も

述語(動詞)	主語
無	道揆

となるため、「有」「無」の直前の「者」「揆」に送り仮名が付かないことがわかりましたか？
ちなみに「有～者」は頻出表現です。

もう一つだけ！ どうして「無二道揆一」の「無」は「なし」じゃなくて「なき」と読むの？

送り仮名の法則④

動詞の漢字が「。」で読み終わるなら**終止形**、**動詞の漢字の下が「、」**なら**連用形**、**動詞の漢字の後に続けて漢字を読んだり、動詞に付いている送り仮名を続けて読む**なら**連体形**にして読む。

「なし」の活用を見てみましょう。

未然形	連用形	終止形	連体形	已然形	命令形
なから	なく	なし	なき	なけれ	なかれ

例文の「無」が**「無㆓道揆㆒。」で終わりならば、終止形**で「道揆**無し**」と読みます。**「無㆓道揆㆒、」ならば、連用形**で「道揆**無く**」と読みます。**「無㆓道揆㆒也」というように「無」から「也」に言葉を続けて読むならば、連体形**で「道揆**無き**なり」と読みます。

なので例文も「無」の後に**「者」が続くので連体形**で「無き者」と読んでいます。ちなみにその後の「如」も終止形は「ごとし」ですが、**「乎」**（☞238ページ）**が続くので連体形**で「ごと**き**か」と読んでいます。

送り仮名の法則⑤

助詞・助動詞の漢字は、書き下し文にするときには**ひらがな**にする。

助詞

・「之」→「の」／「与」→「と」／「者」→「は」
・「乎・哉」など疑問・反語で読むもの（☞238ページ）→「か・や」
・「耳」など限定で読むもの（☞256ページ）→「のみ」／「自・徒・由」→「より」

助動詞

・「不・弗」→「ず」（☞216〜217ページ）
・「可」→「べし」
・「使・令」など使役で読むもの（☞193ページ）→「しむ」
・「見」など受身で読むもの（☞203ページ）→「る・らる」
・「也」→「なり」
・「若・如」→「ごとし」

郁①離②子③曰《ハク》④、「世《ニ》⑤有《ルハ》⑭下以《テ》⑦レ術《ヲ》⑥使《ヒテ》⑨レ民《ヲ》⑧而無《キ》⑫二道⑩揆⑪一者⑬上、其《レ》⑮如《キ》⑱二狙⑯公《ノ》⑰一乎《ト》⑲。」

読み方　郁離子曰はく、「世に術を以て民を使ひて道揆**無き**者有**るは**、其れ狙公の**ごときか**」と。

これが基本ですが、第2章で学ぶ句形によって送り仮名の付け方に多少の違いは出てくることがあります。それはまた出てきたときに触れましょう。

送り仮名を付けるときに意識してほしいことは、**漢文を日本語にするという作業は、漢文を今の日本語にするのではなく、昔の日本語にして読むということ**です。よって、次の法則を忘れないでください。

送り仮名の法則⑥

送り仮名は基本的に**古典文法に従い**、**古典文法で活用させる。**

これで**古文と漢文がつながりました**（例外については☞207〜208ページ）。

最後に、次のような送り仮名を知っておくと読みやすくなるでしょう。

テ・シテ……**順接**（〜して・そして）　**モ・ドモ・ニ**……**逆接**（〜だが・〜であるが）
バ……………**仮定**（〜ならば・〜すると・〜なので）　**スルニ**…………（〜するのに・〜したところ）

問題　**訳を参考にして、漢文に適当な送り仮名を付けなさい。**

① 先生がおっしゃることには、「昔のことを学び直して、新しいことを理解できたならば、人々の模範となることができる。」

子曰、「温レ故而知レ新、可二以為レ師矣。」

※子……「し」と読み、先生などと訳す。　温……あたためる。ここでは、もう一度学び直すという意味。
師……ここでは、模範・手本などと訳す。

② 六つの経典の中で学問について述べるのは、最初は武丁が説に命じた部分に見えるのであるが、学問の道を論じる部分は、「謙遜」と「敏速」と言っているだけだ。

六《りく》経《けい》之言レ学、肇《はじメテ》見二於武《ぶ》丁《てい》之命レ説《えつ》、而論二為レ

学之道一、曰レ遜曰レ敏而《の》已《み》。

※六経……儒家が大切にする六つの経典のこと。　武丁・説……人物。　遜……謙遜。　敏……敏速。

①「子」は主語、「曰」は述語（動詞）で「**子曰はく**」。「温」が述語（動詞）で「故」が目的語。よって目的語の**送り仮名「ヲ」**を付け、「温」は下に「而」（☞176ページ）があるので、「温め」に**「て」**（☞295〜296ページ）を付けます。「故」は重要単語で終止形は「故《ふる》し」（☞349ページ）、ここでは**「ヲ」につなげて読む**ので「故しを」ではなく連体形で**「故きを」**。「**故きを温めて**」。「知」は述語（動詞）、「新」が目的語なのでさっきと同じように、「新」に**「ヲ」**、「知」が「〜ならば」という**仮定の訳なので「バ」**（☞187ページ）を付けて、「**新しきを知らば**」。「可以」は頻出表現（☞294ページ）なので、この文章で覚えておくと楽でしょう。「以《もっ》て〜す（終止形）べし」と読みます。文末の「矣」は置き字（☞176ページ）なので読まなくてよいですが、頻出表現（☞293ページ）であることも忘れないでおきましょう。「**以て師為《た》るべし**」。

②「六経」と「言」に挟まれた「之」は**「の」と読む助詞**。「〜の・〜が」と訳します。この後の「武丁」と「命」の間、「為学」と「道」の間の「之」も同じです。今回は**大きなテーマを述べている**ので、「言」のところに**「ハ」**（☞181ページ）を付けて、「**六経の学を言ふは**」。「命」が述語（動詞）、「説」が目的語なので**「ニ」**を付けて、さらに「命ず」（命じる）を訳の［命じた部分に］に近づけるために**「ニ」**を付け、終止形「ズ」を**連体形「ズル」**にすれば、「**肇めて武丁の説に命ずるに見ゆ**」となります。「見」は［見えるのであるが］と**逆接**（☞187ページ）**で訳しているので「見ゆるも」**。「論」が述語（動詞）、その下の「為学之道」が目的語。「論」は［論じる部分は］

と訳しているので**「ハ」**を付けて、終止形「ズ」を**連体形「ズル」**にして「**論ずるは**」。「曰」が述語（動詞）、「遜」と「敏」が目的語。「〜と」と訳しているので、目的語に**「ト」**を付ければOK。文末は「而」と「已」に分解しないように。これは句形の一つで限定形（☞256ページ）。

正解

①　子曰《ハク》、「温《メテ》レ故《キヲ》而知《ラバ》レ新《シキヲ》、可《シ》二以《テ》為《ル》一レ師矣。」

②　六経之言《フハ》レ学《ヲ》、肇《メテ》見《ユルモ》二於武丁之命《ズルニ》一レ説《ニ》、而論《ズルハ》二為《ス》レ学《ヲ》之道《ヲ》一、曰《ヒ》レ遜《ト》曰《フ》レ敏《ト》而已。

この第1章で学んだ、**文構造（語順）・返り点・送り仮名を意識して漢文を読む**訓練をすると、ミスをしやすい**書き下し文**（漢字と仮名を使って、日本語のようにしたもの）の問題で、しっかり点数を取れますよ。

第3節 使役と受身 ―使う？ 使われる？―

「文構造」はクリアできましたか？ 次は、**句形で読み方を補強**していきましょう。句形というだけでおも〜く感じるので、その負担を和らげるため、**ここでは覚えなければいけない句形を九種類に分けて説明してみました**。必ず不得意な句形をなくすこと。ここを乗り切って、入試漢文に対応できる自分を作り上げましょう。そのスタートは**使役**と**受身**からです。どうぞ！

1 使役

※ここからは、主語→S、述語（動詞）→V、目的語→Oと表記して説明します。この基本構造に慣れた人は、副詞や前置詞などの存在も意識しておきましょう（☞179ページ）。

明皇詔令従陳《ちん》閎《くわう》受画法。

※明皇……唐の玄宗皇帝。 陳閎……唐代の画家。 画法……絵の描き方。

さあ、この**白文**（返り点も送り仮名も付いていない漢字だけの文）中でポイントになる漢字を発見できたでしようか。

「令」かな？

そのとおり！　ここで**大切なのは令和の「令」です**。「令」は、**「しむ」と読んで「～させる」と訳す《使役》を表す漢字**です。ここで使役の法則を学んでおこう。

使役の法則

（主語）＋令＋主に人物（動物）＋上に出てきた人物（動物）に行わせる動作

「令」が見つかったら、**まず「令」の上に主語（S）があるか**見てみましょう。Sがあれば、それは間違いなく今から**「何かをさせる人」**です。「令」の上にSがなければ、Sが省略されていると思ってください。ここは、「令」の上にSの「明皇」があります。次に、その「令」を見つけたらもっと大切なのは、**「令」のすぐ下に《主に人物に関係する言葉》があるか**確認することです。あれば、「何かをさせる人」であるSが**「使う人」**です。

「令《しむ》」を見つけたら→すぐ下に人物があるかチェックをすること。

人物があったら、必ずその人に送り仮名「ヲシテ」を付けましょう。

それなら「しむ」の下はすべて「ヲシテ」を付けるって覚えればいいですよね。

違う違う！ **そこが危険**なんです。
この使役の句形を「AをしてBせしむ」なんて呪文のように覚えようとするから、間違えてしまう人が多いのです。**「しむ」のすぐ下に《主に人物に関係する言葉》がなければ、それは「Aをして」のAに相当する言葉は省略されている**のです。

令 → ~~人物~~ ＝ 人物に関係する「Aをして」の**Aが省略**されている。

なので「ヲシテ」は付けてはいけません。 例文で確認しましょう。

「しむ」の直後をチェック
人物**あり** → ヲシテを**付ける**
人物**なし** → ヲシテを**付けてはいけない**

令 → 従陳《ちん》閎《くわう》受画法。

どうですか？ **「令」のすぐ下に人物ではなく**「従」があるでしょう。ということは、**人物に関する語はないから、「ヲシテ」は付けてはいけない**のです。見事にひっかかって「陳閎をして」と読んだ人は、ここでもう一度190ページから読み直しましょう。

次に、その「令」の下に書かれている言葉があったら、それは、**上に登場した（もしくは省略された）「何かをさせる人」が「使う人」にさせる動作**となります。

⑦令ム下 [人物] ③従[V]ヒテ二 ①陳《ちん》[O] ②閎《くわう》ニ一 ⑥受[V]ケ中 ④画[O] ⑤法ヲ上。

ここでは「令」の下すべてが「使う人」にさせる動作の内容です。それをすべて読み終えたら、**最後に読んだ漢字を未然形にして読んでから「令」に戻りましょう。**これが使役です。よって例文は、「明皇詔して陳閎に従ひて画法を受け**しむ**」と読んで、「明皇は詔して（○○**に**）陳閎に付き従って画法を受け**させた**」と訳します。

最後に！ この**「しむ」と読める使役の漢字は「令」だけでなく「使・遣・教・俾」もあります。**覚えておきましょう。これで使役は完成です！ まとめます。

使役の法則

(S)＋[使・令・遣・教・俾]シム二＋[主に人物（動物）]ヲシテ＋[上に出てきた人物（動物）に行わせる動作]未然形一。

[読み方]（主語）[主に人物]をして[人物に行わせる動作]未然形しむ。

[訳し方]（～が）～に～させる。

2 〜締《し》めの一品〜「シム」がない文を使役にさせる

ここまでに学んだ使役は、**使役の助動詞「使・令・遣・教・俾」を使った形**でした。でも、こんな形もあります。

遂命㆓童子㆒起而逐㆑之。

※童子……子どもの召使い。　逐……「をフ」と読んで、追いかけるの意。

さあ、どう読みますか？「遂」は副詞の「つひに」（☞348ページ）。「命」はⓋで「命ず」＝「命令する」、漢文はⓋの下はⓄなので「童子」から「命」に返って「童子に命ず」。その下はⓋの「起《た》つ」、そして接続語の「而」（☞295〜296ページ）があってまたⓋの「逐《を》ふ」。その下がⓄで「之《これ》を」。これで「遂に童子に命じて起ちて之を逐ふ」と読みますが、意味はどうでしょう。「やがて童子に命令して起きてこれを追いかけた」。なんか不自然な内容だとは思いませんか？　この訳では、自分で童子に命令しておきながら自分で追いかけたことになってしまいます。そこで最後の「逐ふ」に**隠し味の送り仮名「しむ」**を足してみましょう。すると「遂に童子に命じて起ちて之を逐は**しむ**」と読んで、「やがて童子に命令して起きてこれを**追いかけさせた**」となり、意味も通ります。

実はこれが学習の死角！　**使役の助動詞「しむ」を使わない形**なんです。

使役の助動詞「しむ」を使わない使役形

命《めい》ジテ二**人物**ニ一**人物に行わせる動作**未然形＋シム。

↑「人物」：上のⅤによって送り仮名「ニ」を「ヲ」に置き換え可能。（命ジテ二使者ニ一・召シテレ君ヲなど）

↑「命」：ここは「遣」「召」「招」など、置き換え可能。（命ジテ二使者ニ一・召シテレ君ヲなど）

読み方 人物に命じて人物に行わせる動作未然形**しむ**。

訳し方 人物に命令して～**させる**。

これで締めの一品完食です。

このほかに、送り仮名の「シム」を付けて、文脈上使役にする形もありますが、その際は「シム」にだけ気を付けて「～させる」と訳せばよいので問題ありません。

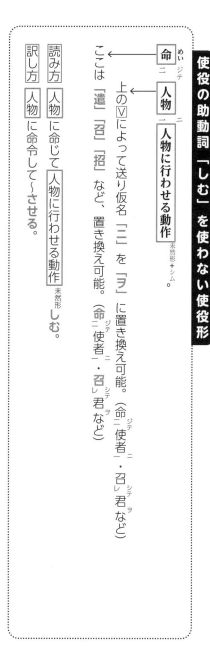

問題 次の各文に返り点と送り仮名を付けなさい。

① **使子《し》路《ろ》問津焉。**

※子路……孔子の弟子。　津……渡し場。　焉……置き字。

② **令知其罪而殺之。**

※殺……殺させてください（願望形）。

③ **命故人書之。**

※故人……旧友。　書……書かせる。

①のポイントは使役の **「使」**。使役の法則を使い、**「使」の下に人物に相当する「子路」**があるため、「子路」に **「ヲシテ」** を付けて「子路をして」。その **「子路」の後の「問津」がすべて「子路」に行わせる動作。**「問」はV。「津」はO。［渡し場を問う］という意味なので、Oの「津」に送り仮名「ヲ」（☞181ページ）を付け、**最後に読む「問フ」を未然形で「問ハ」と読み、使役「使」に戻れば完成。**「子路をして津を問はしむ」。意味は［子路に渡し場を尋ねさせた］。「焉」は置き字（☞176ページ）。

②のポイントは使役の **「令」**。**「令」の直後に人物に関係する言葉がない**ため、**「ヲシテ」を付けてはいけませ**

ん（☞192ページ）。よって**「知」から下すべてが人物に行わせる動作。**問題はその「～させる」がどこまでかかるかです。「知」（知る）は[V]、その下の「其罪」（其《そ》の罪）までが「知」の[O]。「罪」に「ヲ」をつけて**「其の罪を知る」**となります。「而」は置き字（☞176ページ）ですが、その下を見ると「殺之」とあり、「殺」は[V]。「之《これ》」が[O]。注から「これを殺させてください」となるので、「令」（～させる）は「その罪をわからせてこれを殺させてください」とすると意味が通じます。よって、**「令」が指しているのは「知其罪」まで。「知る」を未然形で「知ら」と読んでから「令」に返り、**「しむ」を順接（☞295～296ページ）で**「しめて」**と読みます。「殺」は「～させてください」という願望形なので（☞261ページ）、文末の送り仮名を「未然形＋ン」で**「殺さん」**と読めば完成。**「其の罪を知らしめて之を殺さん」**。意味は「その罪をわからせてからこの者を殺させてください」。

③のポイントは締めの一品（☞194ページ）で学んだ**「命」**。「命令する」という意味で、その下の**「故人」**は重要単語で**「旧友」**（☞343ページ）。「旧友に命令する」という意味なので「故人」に「ニ」を付けます。「旧友に命令して書かせた」となるので、**「書」に「シム」を付け、「シム」の直前を未然形**で読めば完成。**「故人に命じて之《これ》を書かしむ」**。意味は「旧友に命令してこれを書かせた」。

正解

① 使《ム》二子路《ヲシテ》問《ハ》一レ津《ヲ》焉。

② 令《メテ》レ知《ラ》二其《ノ》罪《ヲ》一而殺《サン》レ之《ヲ》。

③ 命《ジテ》二故人《ニ》一書《カシム》レ之《ヲ》。

3 受身

では、受身に進みましょう。次の文の中に、何かポイントの字は見つけられますか。

有蛇螫殺人、為冥《めい》官《かん》所追議、法当死。

※螫《か》ム……噛《か》む。　冥官……冥界の裁判官。　追議……死後、生前の罪を裁くこと。

「有」は182ページでやったやつですね。あとは「為」ですか？

なかなかやるね。たしかに「為」は多くの読み方がある漢字です（☞349ページ）。ここでは**「為」と「所」のセット**がポイントなんです。

為冥官所追議、

この**「為」と「所」のセット**は、さっきまでの「～させる」という意味の使役ではなく、**「～される」という意味を表す受身の漢字**です。そこで受身の法則を学んでおきましょう。

受身の法則

S＋為《な》ル二＋主に人物ノ＋所《ところ》トレ＋上に出てきた人物にされる動作(連体形)。

「為」と「所」のセットを見つけたら、まず**「為」の上にあるものが**S**で、今から「何かをされる人」**です。ここでは上に「有リテレ蛇」(蛇《へび》がいて)「螫《か》ミテ」(噛んで)「殺シレ人ヲ」(人を殺し)と読み、「蛇がいて人を噛み殺し」となるので、「(人を噛み殺した)蛇」がSです。次に**「為」と「所」の間にある漢字が、そのS(ここでは蛇)に「何かをする人」**です。ここは「為」と「所」の間にある「冥官」が「蛇」に何かをする人です。これを見つけたときは、**その人のところに送り仮名「ノ」**を付けましょう。最後に**「所」の下にある漢字が「その何かをする人」に「された内容」**です。この例文では「所」の下にある「追議」が、「された内容」です。これを見つけたら**最後のところを連体形**で読みましょう。そしてそこから「所」に返って**送り仮名「ト」**を付け、そこから「為」に返って、ここでは**「なル」と読めば完成**です。ここでは「、」で言葉が続くので、連用形「なり」となります(☞184ページ)。

これで、例文も次のようになります。

②有リテレ①蛇 ③螫ミテ ⑤殺シレ④人ヲ、⑪為リ三⑥冥⑦官ノ⑩所ト二⑧追⑨議スル一、

読み方 蛇有りて螫みて人を殺し、冥官の追議する所と為り、

この次が問題なんです。これをどう訳すかです。

「～の～するところとなった」でしょ。

それそれ！　そうやってよく間違えてしまうんです。でもここは受身。**「～に～される」**と訳すようにクセをつけましょう。まとめます。

受身の法則（完成形）

（Ⓢ）＋**為**《な》ル二＋**主に人物**ノ＋**所**《ところ》ト一レ＋**上に出てきた人物にされる動作**《連体形》。

読み方　～**の**～する所《ところ》**と為**《な》**る**。

訳し方　～**に**～**される**。

よって、先ほどの例文は、「蛇がいて人を噛み殺して、冥界の裁判官**に**（その罪を）裁**かれ**、死罪となる。」という訳になります。読みに引きずられて誤訳しがちなので、気を付けましょう。

では、実際に出題された設問を見てみましょう。

問題　**次の文の書き下し文として最も適切なものを、後の①～⑤のうちから一つ選べ。**

有蛇螫殺人、為冥官所追議、法当死。

（センター試験・改）

① 蛇有りて螫《か》みて人を殺し、冥官の追議する所と為《な》り、法は死に当たる。
② 蛇有りて螫みて人を殺さんとし、冥官の所に追議を為すは、死に当たるに法《のっと》る。
③ 蛇有りて螫まれ殺されし人、冥官と為りて追議する所は、死に当たるに法る。
④ 蛇の螫むこと有らば殺す人、冥官の追議する所の為《ため》に、死に当たるに法る。
⑤ 蛇有りて螫まれ殺されし人、為に冥官の追議する所にして、法は死に当たる。

どうでしょう。今回ポイントになる《**「為」＋「所」＝受身**》で選択肢を見てみましょう。

① 蛇有りて螫みて人を殺し、**冥官の追議する所と為り**、法は死に当たる。
② 蛇有りて螫みて人を殺さんとし、**冥官の所に追議を為すは**、死に当たるに法る。
③ 蛇有りて螫まれ殺されし人、**冥官と為りて追議する所は**、死に当たるに法る。
④ 蛇の螫むこと有らば殺す人、**冥官の追議する所の為に**、死に当たるに法る。
⑤ 蛇有りて螫まれ殺されし人、**為に冥官の追議する所にして**、法は死に当たる。

正解・①

句形を知ると、単に読めるだけではなく、解答にもすばやくつながる。

このことが実感できれば、句形の学習もやる気になるでしょう。

ちなみに、この「為」と「所」がセットの受身はもう一つ読み方があります。

為《ため》ニ二レ **主に人物** ノ一 **所**《る・らル》二レ **上に出てきた人物にされる動作** 一 未然形。

読み方 ～の為に～㊟る／らる。

こう読んで、意味は同じです。あわせて覚えておきましょう。

ところで、さっきの例文で、ポイントになる字は「当」で、再読文字だと思った人はいませんか。

はい、だって学校で「当」は再読文字って習いました。

次節で再読文字をやりますが、今まで覚えた再読文字の漢字が出てきたら、何でも再読文字と考えてしまうことは危険なので、ちょっと気を付けましょう。

え？　知らなかった。こわい！

大丈夫。ただ、それをやる前に、ほかの受身も知っておいてください。

4 ～締めの一品～ 置くだけで受身にできる 単純受身

その文を受身（～される）で読みたいときに、その**受身で読みたいⅤに「る・らル」の漢字を置くだけで受身に変化させる**ことができます。

単純受身の法則

見・被・為・所《る・らル》 ニレ Ⅴ 一 未然形。

読み方 ～Ⅴ 未然形 ＋る（らる）。

訳し方 ～される。

・**Ⅴが四段活用のとき**（「学ぶ」など）→**「る」**

る ニレ Ⅴ（＝四段）一 未然形。

・**Ⅴが四段活用以外のとき**（「見る」など）→**「らル」**

らル ニレ Ⅴ（＝四段以外）一 未然形。

このほかに「於」を使った受身の形もあります（☞294～295ページ）。

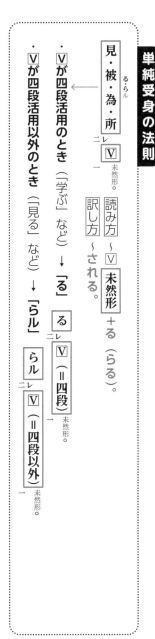

問題　**次の文を読んで、後の問い（問１・２）に答えよ。**

信《ニシテ》而見《レ》疑、忠《ニシテ》而被《レ》謗。（傍線部1：見レ疑、傍線部2：被レ謗）

※信……誠実である。　忠……まごころがある。　謗……そしる。悪く言う。

問１　傍線部１・２をそれぞれ書き下し文にせよ。

問２　傍線部２の「被」と同じ意味を持つ漢字を、次の①～⑤のうちからすべて選べ。

①使　②見　③所　④為　⑤遣

問1は、まず傍線部の前を確認すると、「信」はそのまま「信にして」、「而」は置き字です。傍線部1は、レ点があるので、「疑」を先に読みます。「疑」は「疑う」と[V]で読みますが、これでは現代語なので「疑ふ」と書きます。ただし、レ点で返った「見」は[V]の上にあることから**受身の「る・らル」**です。受身で読むときの直前の漢字の送り仮名の活用は**未然形**でしたね。なので、四段活用である「疑ふ」の未然形は「疑は」です。受身の「見」は「る」「らル」どちらでしたっけ？　**直前の[V]が四段活用のときは「る」**でしたね。しかし、ここは終止形で終わっていませんので、連用形で読みましょう。これで傍線部1は「**疑はれ**」。傍線部2の前も同じように「忠にして」と読みます。傍線部2の「謗」は[V]で「そしル」と読む。そこから返って読む**「被」は、「見」と同じく受身**でしたね。「謗る」は四段活用なので未然形で「**謗ら**」と読み、「被」を「**る**」で読めば完成。

問2の「被」は受身。①「使」・⑤「遣」は使役。③「所」は「こと・もの」などと訳す単語。

正解　**問1**　**1疑はれ**　**2謗らる**　**問2**　②・④

第4節 再読文字 ―二度読まなければいけない漢字―

惟ダ其ノ昏クシテ而未ダルレ覚ラ也。

※惟《ただ》……限定の副詞（☞255ページ）。　昏《くらクシテ》……疎くて。　覚《さとル》……気付く。

さあ、この中でポイントになる字は**「未」**です。この漢字がⅤより上に置かれて、そのⅤから返って読むときは、**一度目を右側の送り仮名で副詞の読み方で「いまだ」**と読み、今度は返り点を使ってⅤの漢字を読んだ後、「未」に戻って**左側を助動詞で「ず」**と、二度読む漢字なのです。これを「再」度「読」まなければいけない漢字ということで、**「再読文字」**と言います。

再読文字

①未レ③二 ②Ⅴ一（未然形）。

読み方　**未《いま》だ**～Ⅴ**未然形**＋**ず**。

訳し方　まだ～ない。

※下にⅤがないとき　未 ~~Ⅴ~~。→ 未《いま》ダシヤ。
（一度しか読まないとき）

この漢字を使った熟語、何か浮かびますか？

あっ！　未来。

再読文字として読んでごらん。

「いまだ、こず」かな。

おしい！　**漢文では「来る」は「くる」（カ変）ではなく、「きたる」（四段）**なんですよ。

じゃあ、「いまだ、きたらず」？

そのとおり！　まだ来ない遠い先のことなんです。だから「未来」。

「**来**」と「**死**」に注意しましょう！

第1章の送り仮名の法則⑥（☞186ページ）で、基本は古典文法に従うと言いましたが、「来」と「死」の読み方には気を付けましょう。

来……古文 くル（カ変）→ 漢文 **きタル（四段）**
死……古文 しヌ（ナ変）→ 漢文 **しス（サ変）**

	未然形	連用形	終止形	連体形	已然形	命令形
来《き》タル	きタラ	きタリ	きタル	きタル	きタレ	きタレ
死《し》ス	しセ	しシ	しス	しスル	しスレ	しセヨ

さっそく練習してみましょう。

問題 次の文の書き下し文と現代語訳を書きなさい。

未レ知レ生。（ここでは「生」は「せい」と読み、「生きること」）

正解・未だ生を知らず。／まだ生きることを理解しない。

ここで、206ページの冒頭の文をもう一度確認しましょう。限定の副詞「惟」（☞255ページ）は「惟《た》だ」と読み、「其」は「其《そ》の」、「昏」は注釈にあるように「昏《くら》くして」、「而」は置き字。これで「惟だ其の昏くして」（ただ疎くて）。この後に注目しましょう。Ⅴの「覚《さと》る」から返って読む「未」は間違いなく再読文字の「未」ですね。「いまダ～**未然形**＋ず」なので「未だ覚らず」。下の「也」に連体形でつなげれば、「未だ覚らざるなり」と読め、全体で［まだ気付かなかっただけである］と訳せます。

二回読んでこれだけ文章が展開する漢字なんて面白いですね。

ほかにもありますよ。難しくないのでささっと覚えちゃいましょう！

その他の再読文字

宜《よろシク》《ベシ》レ二 V（終止形）一

読み方 **宜《よろ》しく**〜V **終止形** ＋**べし**。

訳し方 〜するのがよい。

例 宜①④レ知③レ之②。

読み方 **宜しく**之《これ》を知る**べし**。

訳し方 これを知る**のがよい**。

例 宜①⑥レ取⑤V二其②所④レ長③。

読み方 **宜しく**其《そ》の長ずる所を取る**べし**。

訳し方 その長所を取る**のがよい**。

※ V宜《むベナリ》……もっともだ

第2章 句形

盍《なんゾ》《ざル》ニレ V 一（未然形）。

読み方 盍《なん》ぞ〜 V 未然形 ＋ざる。

訳し方 どうして〜しないのか。

例 ①⑥盍三 ②各 ⑤言二 ③爾 ④志一。

読み方 盍ぞ各《おのおの》爾《なんぢ》の志を言はざる。

訳し方 どうしてそれぞれお前たちの志を言わないのか。

例 ①⑤盍レ ④反二 ②其 ③本一 矣。

読み方 盍ぞ其《そ》の本に反《かへ》らざる。

訳し方 どうしてその根本に戻らないのか。

※疑問の「何不《なんゾざル》二レ〜一。」と同じ。疑問で「どうして〜しないのか」だが、「〜したらどうか」という勧誘を含んだ形。

須《すべかラク》《ざル》ニレ V 一（終止形）。

読み方 須《すべか》らく〜 V 終止形 ＋べし。

訳し方 （ぜひ）〜する必要がある。

例 ①⑥須二 ②熟 ③読 ④玩 ⑤味一。

読み方 須らく熟読玩味すべし。

訳し方 じっくり読み深く味わう必要がある。

例 ①⑧須三 ②常 ⑦思二 ③病 ④苦 ⑤之 ⑥時一。

※須《もちフ》（一度しか読まないとき）……必要がある

読み方 **須らく**常に病苦の時を思ふ**べし**。

訳し方 **ぜひ**いつも病気で苦しむときのことを考える**必要がある**。

猶《なホ》《ごとシ》二レ **名詞** ノ 一 。・**猶**《なホ》《ごとシ》二レ **V** 連体形ガ 一 。

読み方 **猶ほ～名詞のごとし・猶ほ～V連体形がごとし。**

訳し方 ちょうど～（と同じ）ようなものだ。

※猶《なホ》（二度しか読まないとき）……やはり

例 猶①⑥ 二 魚② 之③ 有⑤ レ 水④ 也⑦。

読み方 **猶ほ**魚の水有る**がごとき**なり。

訳し方 **ちょうど**魚と水の関係**のようなものだ。**

例 過① 猶②⑤ レ 不④ レ 及③ V。

読み方 過ぎたるは**猶ほ**及ばざる**がごとし**。

訳し方 行き過ぎは**ちょうど**及ばないの**と同じようなものだ。**

あと四つだけです！ でもこのあと四つが混同しやすいから気を付けよう。

混同しやすい再読文字

将《まさ》ニレ ス二 V 一（未然形ント）。・**且**《まさ》ニレ ス二 V 一（未然形ント）。

読み方 **将**《まさ》・**且**《まさ》**に**～V **未然形** ＋**んとす**。

訳し方 これから～しようとする。今にも～しそうだ。

※（一度しか読まないとき）
- V将《ひき井ル》……引きつれる
- 将《はタ》……それとも
- 将《しやう》……将軍

例 **将レ入二於井一。**

読み方 **将に**井に入《い》ら**んとす**。

訳し方 **これから**井戸に入ろ**うとする**。

例 **晏子且レ至レ楚。**

読み方 晏子《あんし》**且に**楚《そ》に至ら**んとす**。

訳し方 晏子が楚に**今にも**到着**しそうだ**。

※（一度しか読まないとき）
- 且《かツ》……さらに、そのうえ
- 且《しばラク》……しばらく、とりあえず

当《まさ》ニレ ベシ二 V 一（終止形）。・**応**《まさ》ニレ ベシ二 V 一（終止形）。

読み方 **当**《まさ》・**応**《まさ》**に**～V **終止形** ＋**べし**。

訳し方 当然～すべきだ。きっと～にちがいない。

※（一度しか読まないとき）
- V当《あタル》……相当する
- V応《おうズ》……こたえる

例 **当二勉励一。**

読み方 **当に**勉励す**べし**。

訳し方 **当然**努め励む**べきである**。

例　⑥応①レ知⑤二[V]故②郷③事④一。

読み方　**応に**故郷の事を知る**べし**。

訳し方　**きっと**故郷のことを知っている**にちがいない**。

問題　**傍線部と同じ読み方をするものを、後の①〜⑤のうちから一つ選べ。**

家ニ蓄《やしなフ》二一老狸《り》奴《ど》ヲ一。将レ誕《うマント》レ子ヲ矣。

※狸奴……猫。

①当　②盍　③応　④且　⑤須

（センター試験）

傍線部の「将」に注目しましょう。その下に[V]の「誕」があるので、その上の「将」は間違いなく**再読文字の「将」**です。**一度目は右側で副詞の読み方で「まさニ」と読む**ので、**二度目は左側で「す」と読み、[V]は未然形＋ントで読む**ので「誕む」（四段活用）が「誕まんと」になっています。先ほどやったばかりの「混同しやすい再読文字」を意識していれば、①③はひっかけだとわかります。**正解は④**。

ところで、**ほかの選択肢の読み方と意味**をすぐに言えますか。言えなかった人はまだ再読文字が不安定な証拠。学校でも塾でも最初の頃に学ぶので、実際の試験の頃には忘れて、点数を落としやすいところです。テキストや模試、句形の問題集を使って、**形だけでなく、文章の中で覚えていく**ようにしましょう。

正解・④

問題 **次の文の解釈として最も適当なものを、後の①～⑤のうちから一つ選べ。**

須レ問レ病。

※病……悪い点。

（センター試験）

① 悪い点は知っておくことが望ましい。
② 悪い点を見つけることが大切である。
③ 悪い点は人にたずねてみるのがよい。
④ 悪い点はきっと批判を受けるだろう。
⑤ 悪い点を深刻にとらえるべきである。

ポイントは「須」。[V]である「問」の上に置かれた「須」は間違いなく**再読文字**。「問」の下の「病」が[V]の下なので[O]。「須らく病を問ふべし」と読めます。「病」は「悪い点」ですが、すべての選択肢が「悪い点」になっているので消去しにくいでしょう。そこで**再読文字の「須」の意味は**何でしたっけ。**「ぜひ～する必要がある」**でしたね。①「望ましい」・③「よい」・④「だろう」は消去できます。「問」は「質問する・問いかける」と自発的になにかをする意味であることを踏まえると、⑤「とらえる」よりは②「見つけること」のほうが適当です。

正解・②

第5節 二重否定 —否定か？強調か？—

1 二重否定

模試の結果が最悪……。特に古典。いいや、英語やろうっと。

ん？　ちょっと！　古典やめたの？

やらないわけないでしょ。

一つの結果ですぐ投げ出してしまうと、後でツケが来ますからね。でも彼女の言葉を聞いて安心しました。「やら**ない**わけ（が）**ない**」と、「やらない」という否定の言葉の後にもう一度「わけ（が）ない」と否定を重ねました。この**否定を二度繰り返す**ことによって、つまり「ちゃんとやります」と**強い肯定**の意を示してくれたからです。このような形を**二重否定**と言います。その二重否定を学ぶ前に、まずは単純な否定の形を、さらっと知っておきましょう。

否定を表す漢字

① 不（弗）　② 非　③ 無（莫・勿・毋）

これらの否定を表す漢字に☑「見る」を足してみます。**どの否定語が来ると、「見る」の活用がどうなるか**をよく確認してください。

見る（上一段）	未然形	連用形	終止形	連体形	已然形	命令形
	み	み	みる	みる	みれ	みよ

① **不（弗）レ見。**　[読み方] 見ず。　[訳し方] 見ない。

↓「不（弗）」は直前を**未然形**で読み、**「〜しない」**と訳す。

② **非レ見。**　[読み方] 見るに非《あら》ず。　[訳し方] 見るのではない。

↓「非」は直前を**連体形**＋ニで読み、**「〜するのではない」**と訳す。

③ 無(莫・勿・毋)レ見。

読み方 見る(こと・もの)無《な》(莫《な》・勿《な》・毋《な》)し。

訳し方 見ること(もの)はない。

→「無(莫・勿・毋)」は直前を**連体形**(＋コト・モノ)で読み、**「〜すること(もの)はない」**と訳す。

まとめよう。

否定の法則

不《ず》(弗)二レ V 一。(未然形)

読み方 〜V **未然形**＋ず。

訳し方 〜し**ない**。

非《あらズ》二レ V 一。(連体形＋ニ)

読み方 〜V **連体形**＋に非《あら》ず。

訳し方 〜するのでは**ない**。

無《なシ》(莫・勿・毋)二レ V 一。(連体形(＋コト・モノ))

読み方 〜V **連体形**(＋こと・もの)無《な》(莫《な》・勿《な》・毋《な》)し。

訳し方 〜すること(もの)は**ない**。

※「無(莫・勿・毋)かれ」と**命令形**で読めば、禁止で「〜するな」と訳す。

ほら、そんなに難しくないでしょ。

問題 次の文の書き下し文と現代語訳を書きなさい。

好レ学而不レ勤レ問、非二真能好レ学者一也。

「文構造」で考えると「好」（好む）はV、「学」（学問）がOで、「学問を好む」という意味なので「学」に「ヲ」をつけて「学を好む」となります。「而」は置き字ですが、接続語の役割があります（☞295〜296ページ）。ここでは順接として「テ」を付けて「学を好みて」と読みます。ポイントは**単純否定「不」**。下のVの「勤」から返る前にその下のO「問」から順に返り、「質問をすることを大切にしない」という意味なので、「問」に「ヲ」を付けて「勤」は**「不」の直前を未然形で読み**、「勤め」で「学を好みて問ふを勤めず」。しかしその後の「〜なのは〜ではない」という内容から、「**学を好みて問ふを勤めざるは**」と読みます。

二つ目のポイントは**単純否定「非」**。**直前の「者」に「二」を付けて読みます**。「真」は「本当に」という意味の「まことニ」、「能」は「〜できる」という意味の「よク」、いずれもVの上に置かれる副詞です。下に「好」（好む）があるので、「好学」は前半と同じように「学を好む」と読めば、「**真に能く学を好む者に非ず**」と読めます。

しかし、最後に「也」が続くので、「非」は「あらズ」ではなく、連体形で「**あらザルなり**」と読めば完成。

正解・学を好みて問ふを勧めざるは、真に能く学を好む者に非ざるなり。／学問を好んで質問することを大切にしないのは、本当に学問を好む者ではないのだ。

では、ここからが本番！ 今学んだ単純否定を二つ組み合わせると、これで「学ばないことはない」となって、**強い肯定の意味を表す二重否定**となります。つまり、「(必ず) ～する」ということを言いたい表現です。

二重否定の法則

無《なシ》レ不《ざル》二レ V（未然形）一。
読み方 ～V **未然形**＋ざる（は）無し。
訳し方 ～し**ないことはない**。→**必ず**～する。

莫《なシ》レ不《ざル》二レ V（未然形）一。
読み方 ～V **未然形**＋ざる（は）莫し。
訳し方 ～し**ないことはない**。→**必ず**～する。

非《あらズ》レ不《ざル＋ニ》二レ V（未然形）一。
読み方 ～V **未然形**＋ざるに非ず。
訳し方 ～し**ないのではない**。→**必ず**～する。

不《ず》レ可（未然形）レ不《ざル》二レ V（未然形）一。
読み方 ～V **未然形**＋ざるべからず。
訳し方 ～し**ないわけにはいかない**。→～**しなければならない**。

不《ず》レ得《未然形》レ不《ざル＋ヲ》ニ **V**《未然形》一。

読み方　～V未然形＋ざるを得ず。

訳し方　～し**ない**わけにはいか**ない**。→～**しなければならない**。

ちょっと次の文章を読んでみてください。

逮《およ》ビ二唐宋以後一、自リ二天子一至ルマデ二於庶人一ニ、無クレ不ル三崇-二飾セ此ノ日一ヲ、

※崇飾……立派に飾り立てる。

「唐・宋以降、天子から庶人まで」という流れの中で大事な**二重否定**が見えましたか。**「無」**と**「不」**があります。さっきの法則と同じ形がありますね。なので「崇飾《すうしょく》す」という V を**未然形**で「崇飾せ」と読んでから否定に返って読んでいますね。「此《こ》の日を崇飾せざる無し」、下に「、」があるので（☞184ページ）、「無し」が「無く」になっています。

さて、二重否定「無レ不レV」はどう訳しますか。**［～しないことはない］**でしたね。よって［この日を立派に飾り立てないことはなく］となりますが、もう一つ強い肯定で**［必ず～する］**もありましたね。［必ずこの日を立派に飾り立てて］という訳もできます。天子から庶民まで、身分に関係なくその日を盛大に飾るのでしょうね。

二重否定の中でも特に気を付けてほしいのが、**「不」から「不」に返るとき**です。

聖人之所レ不ルレ知ラ、未ダ二必ズシモ不一レ為ラ二愚人ノ所一レ知ル也。

「未必不為」をこのまま読んだら、「不」から「未」に返ったとき「ズズ」になって、何か気持ち悪いですよね。だから、次のことを忘れないようにしてください。

「不」から「不」に返るときは、**最初に読む「不」に「んばあら」を付けて読む。**

その応用が再読文字の「未」（☞206ページ）を使った形です。覚えていますか？ 一回目は「ず」で読みましたね。つまり「不」と同じです。ということは、**「未」と「不」の組み合わせのときも「不」に「んばあら」を付けて読む**ということです。ここでは「未だ必ずしも愚人の知る所と為**らずんばあら**ざるなり」と読みます。

特に注意すべき二重否定

不《ず》二 〜 不《ずンバアラ》レ 〜。
読み方 〜〜**ずんばあらず**。
訳し方 〜〜しないこと（もの）はない。→必ず〜〜する。

未《いまダ》《ず》二 〜 不《ずンバアラ》レ 〜。
読み方 **未《いま》だ**〜〜**ずんばあらず**。
訳し方 まだ〜〜しないこと（もの）はない。→必ず〜〜する。

本当にこれで終わり？ まだあるんじゃないの？ 教えてくれないのなら、やらないよ。

第2章 句形

せ、責めるね……。でもね、教える前にすでに使っていますよ。

え？

「教えてくれ**ない**（の）なら、やら**ない**」と、ここにも二つの否定があるでしょう。さっきまで学んでいた二重否定と何が違うと思いますか？

さっきは「不」から「不」に直接返って読んでいたけれども、今度は「不」から「不」に直接返って読んでないことかな？

そのとおーーり！

2 否定の連用

さっきの特に注意すべき二重否定は、

不ニ～不レ～。

のように、「不」から「不」に返って読んでいました。でも、

不レ～**不**レ～。

のように、今度は**「不」から「不」に返って読んでいません**。これは二重否定ではなく、否定の形を**連**続で**用**いている、**否定の連用**というタイプです。

否定の連用

不《ずンバ》レ**教《へ》**、**不《ず》**レ**為《なサ》**。

読み方　教へずんば、為《な》さず。

訳し方　教えてくれないなら、やらない。

ここまでやってみて、否定、特に二つ否定を使う形がたくさんあって、そして大切であることがわかってもらえましたか。この時点でまだ二重否定と否定の連用に不安のある人は、いったん深呼吸して、もう一度219ページに戻ってみましょう。自信がついたら、もう一つだけ付き合ってください。

無《シ》レ**不《ルハ》**レ**買《ハ》**レ**物《ヲ》**。

読み方　物を買はざるは無し。

訳し方　物を買わないことはない。→必ず物を買う。

これが今まで学んだ二重否定です。では次の形はどうでしょう。読めますか？

無ニ物不レ買。

同じ漢字を使っているし、読みも意味も同じでしょ。

それが違うんです。「物」という字の置かれている位置が違うでしょう。最初見たほうでは一番下にあった「物」が、今度は**二つの否定の中にある**でしょう。

[物であって買わないものはない] → [どんな物でも買う] という意味ですが、この場合の読み方は**「物」のところに「トシテ」という送り仮名を付ける**のが、いわゆる読み習わしになっています。(気になる人のために説明します。この送り仮名は、名詞が副詞化したとき、断定の助動詞「たり」の連用形の「と」に、接続助詞の「して」がくっついて「として」となりました。しかしそこまで覚える必要はありません!)

特殊な否定の形

無《なシ》ニA《トシテ》不《ざル》レB《ハ》未然形。

読み方 AとしてB**未然形**+ざるは無《な》し。

訳し方 どんなAでもBし**ない**ものは**ない**。→どんなAでも必ずBする。

こんな形も二重否定の学習の中に加えておいてください。これで二重否定は終わりです。お疲れ様!

「はじめに」のところで述べましたが、漢文は簡単だと誤解して学習を後回しにしたら、大変なことになるということが実感できましたか。昔の思想家で荀子《じゅんし》という人が「道雖《モ》レ爾《シト》、不《レバ》レ行《カ》不レ至《ラ》」（道爾《ちか》しと雖《いえど》も、行かざれば至らず）と言っています。

「**たいしたことない道のりでも、やらないで後回しにしていればその数は膨大になってできなくなってしまうものである**」という意味です。やっておけばよかった、という後悔だけはしないでください。

3 ～締めの一品～ 強勢否定

否定の「不」に「敢」（あへて）が組み合わさった形、**「不敢～」があれば強勢否定**です。これで**「あへて～ず」**と読み、**「決して（強いて・進んで）～しない」と強い勢いの否定**で訳します。

これと同じなのが、「敢」を「肯」に置き換えた形、**「不肯～」「あへて～ず」と読む強勢否定**の形です。

強勢否定の法則

不《ず》ニ敢《あへテ》（肯）Ⅴ一未然形。

読み方 敢《あ》（肯）へてⅤ未然形＋ず。

訳し方 **決して**（強いて・進んで）～し**ない**。

ところが、この「不肯」にはもう一つ読み方があります。それは**「不肯」で「がへんぜず」と読み、「納得しない」という意味**です。次の文と、その書き下し文の選択肢を見てください。

不肯呼之使醒。（センター試験）

① **肯《あ》へて**之の使ひを呼ぶも醒《さ》め**ず**
② 之を呼ぶも醒めしむるを**肯《がへ》んぜず**
③ 之の使ひを呼ぶも醒むるを**肯んぜず**
④ **肯へて**呼ば**ず**之きて醒めしむ
⑤ **肯へて**之を呼びて醒めしめ**ず**

「不肯」の読み方が二通りに分かれているでしょう？　ここは油断せずしっかり次にステップしてください。「不肯」は、**「肯」の位置が構造上どこにあるか**で決めましょう！

Ⅴの位置に「肯」があれば、**「～をがへんぜず」（～を承知しない・納得しない）**と読む。
Ⅴより上に「肯」があれば、**「あへて～ず」（決して～しない）**と読む。

もう一度、本文を見てください。

不肯呼[Ⅴ]之使醒[Ⅴ]。

決め手は「不肯」の「肯」が構造上どこにあるかです。
「肯」の下をチェックしていくと、「呼」（呼ぶ）・「醒」（覚める）というⅤの字があります。ということは、**Ⅴより上に「肯」がある**ということですよね。よって「肯」は「あへて」と読みます。では選択肢を見てみましょう。

① **肯へて**之の使ひを呼ぶも醒め**ず**
② 之を呼ぶも醒めしむるを**肯んぜず**
③ 之の使ひを呼ぶも醒むるを**肯んぜず**
④ **肯へて**呼ば**ず**之きて醒めしむ
⑤ **肯へて**之を呼びて醒めしめ**ず**

Ⅴの位置に「肯」はないので、②③をすぐに消去できるでしょう。①「使」は使いの者のことではなく使役（☞193ページ）なので消去。④を訳してみると「決して呼ばず（彼のところへ）行って目を覚まさせた」となり、呼ばないのに目を覚まさせに行くというのはおかしな内容です。よって⑤**が正解**です。「決して彼を呼んで目を覚まさせなかった」と訳します。

それと……もう一つ。もっと大切な学習の死角になることを言います。

「不敢」と「敢不」を混同してはいけない。

「不敢」の形は強勢否定だということを学びました。ところが、この**「不」と「敢」が逆になった「敢不」という形**があります。これは**強勢否定ではなく「敢へて～ざらん」**と読み、**反語「どうして～しないだろうか、いやや～する」の意味**（☞243ページ）になるので注意しましょう！

締めの一品、終了です。さあ、次が否定の中でも大きな山です。しっかり頂上を目指していきますよ！

問題 **傍線部を書き下し文にし、現代語訳せよ。**

群狙《そ》皆畏レテ苦シムモレ之ニ、弗ル敢ヘテ違ハ也。

（共通テスト試行調査・改）

※群狙……猿たち。　畏……むちで打たれることを恐れる。　違……「たがふ」と読む。

ポイントは「弗敢」（強勢否定）を見抜けることです。「不敢Ⅴ」の形（☞225ページ）を覚えていれば「**敢へて違はず**」と読めます。「不」が「弗」であることに悩んだ人は、もう一度216〜217ページを見直しましょう。そして、文末の断定の助詞の「なり」につなげて読むために「ず」を連体形で読めば、「**ざるなり**」となって完成です。現代語訳は注釈を生かして、傍線部の前を［猿たちは皆むちで打たれることを恐れて苦しんだけれども］というように「苦しむも」のところで逆接で読めれば、［(でも) 逆らわなかった］という文脈になり、そこに「弗敢」を加えれば［**決して逆らわなかった**］と訳出できます。

正解・書き下し文…敢へて違はざるなり。
現代語訳…決して逆らわなかった。

第6節 部分否定と全部否定 ―どれだけ嫌いなの？―

どう？　受験勉強してる？

いつもしてません！

私はいつもはしていません。

「いつもしていない」ということは、ほんの少しも受験勉強をやっていないということです。これは**百パーセント否定**したことになります。それに対して**「いつもはしていない」**は、受験勉強をしている日もあるわけで**百パーセントの否定ではない**ということです。これが**全部否定**と**部分否定**というものです。

百パーセント否定　↓　**全部否定**
百パーセントは否定しない　↓　**部分否定**

では、これを漢文ではどう表現するか、実はとても簡単だからすぐに暗記しちゃいましょう。

第2章 句形

全部否定と部分否定の法則

全部否定……副詞（常・尽・復・必など）＋不二レ＋V一未然形。

常《つね》ニ不《ず》二レV一未然形。　訳し方　いつも〜しない。

部分否定……不二＋副詞（常・尽・復・必など）ハ＋V一未然形。

不《ず》二常《つね》ニハV一未然形。　訳し方　いつもは〜しない。いつも〜するとは限らない。

先に副詞を置けば全部否定（百パーセント否定）、先に「不」（否定語）を置けば部分否定（百パーセントは否定しない）になります。つまり、副詞と「不」、どっちが先かでどこまでの否定なのかを見抜けるんです。

ではここから差が付くポイントです。

部分否定はどこまでの否定でしたか？　そう、百パーセント「は」否定しないんですよね。なので、**基本的には部分否定の副詞には「ハ」を付けます。**

ただし、**例外が二つだけある**からそれは注意。**「必」（かならズ）のときは「かならズハ」ではなく「かならズシモ」、「復」（まタ）のときは「まタ」のままで読みましょう。**

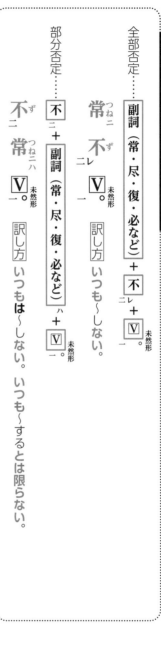

部分否定の法則

副詞のところに「ハ」を付ける。

※例外　必→「かならズシモ」　復→**「まタ」**（変化なし）

思い出してください。220ページの例文の「必」を「必ずしも」と読んでいた理由がわかりますか？

特に部分否定は受験生が見落としやすい句形なので、練習して早く差を付けてしまおう！

問題 次の文は、自分で植えた海棠《かいどう》の種が春になって花を咲かせたら、飲み仲間と宴会をしようと思っていた筆者が左遷を命じられ、黄州（地名）に赴任したときのことを書いたものである。傍線部から読み取れる筆者の状況を説明したものとして最も適当なものを、後の①～⑤のうちから一つ選べ。

（センター試験）

余モ亦タ遷《うつ》シレ居ヲ、因リテ不ニ復省レ花。

※余……私。　亦……同様に。

① 筆者は政変に際して黄州に左遷され、ふたたび海棠を人に委《ゆだ》ねることになった。

② 筆者は政変に際して黄州に左遷され、もう一度海棠を移し替えることができなかった。

③ 筆者は政変に際して黄州に左遷され、それきり海棠の花を見ることがなかった。

④ 筆者は政変に際して黄州に左遷され、またも海棠の花見の宴を開く約束を果たせなかった。
⑤ 筆者は政変に際して黄州に左遷され、二度と海棠の花を咲かせることはできなかった。

ポイントは**「不復」**。部分否定だから、否定していない①「ふたたび〜なった」、全部否定である④「またも〜なかった」は消去。とりあえず②と③と⑤が選べていればよいです。ここは、花見をしながらの宴会を楽しみにしていたのに、左遷によって叶わなくなったという文脈から、「省」の意味は**③が適当**でしょう。このような視点は第3章で学びます。

正解・③

先生！「復不」と「不復」の違いはわかったんですが、訳したらわからなくなっちゃいました。

そうだね。参考書にはよく「今度も〜ない」「二度と〜ない」とあるけど、わかりにくいよね。そんなときは、**Ⓥを当てはめてください**。
ためしに、Ⓥのところに「飼」を入れてみます。

復タ不レ飼ハ。 読み方 復た飼はず。 訳し方 今度も飼わない。

今までも飼ったことはないし、今度も飼わない。つまり**一度も飼っていないので百パーセント否定**しています。

不㆓復タ飼ハ㆒。　読み方　復た飼はず。　訳し方　二度と飼わない。

今まで飼ったことはあるけれども、もう二度と飼わない。つまり**飼った経験はあるので、百パーセントの否定にはなりません。**

この区別をきちんとするためには、**読みに惑わされない**こと。**構造や意味からきちんと判別**しましょう。

問題　**次の文の書き下し文として最も適当なものを、後の①～⑤のうちから一つ選べ。**

（センター試験）

不必与人斉同。

※斉同……同じである。

① 必ず人の斉同なるに与《くみ》せず。
② 必ず人の斉同なるに与《あづか》らず。
③ 必ずしも人に斉同なるを与へず。
④ 必ずしも人と斉同ならず。
⑤ 必ずしも人より斉同ならず。

ポイントは否定「不」の下に副詞「必」、その下に[V]で読めそうな「与」「斉同」があること。この形は間違いなく部分否定。部分否定の副詞で「必」には「シモ」を送り仮名で付けるのが決まりでしたね。(☞231ページ)「必ず」と読んでいる①②を消去できます。残った選択肢は重要単語「与」(☞349ページ)がポイントです。③は「あたフ」と[V]で読んで「与える」、④は「と」と前置詞で読んで「〜と」、⑤は「より」と比較で読んで「〜より(は)」。ここでは、「与」の下に「人」という名詞があり、その下に[V]の「斉同」があることから④が適当です。意味も「必ずしも人と同じであるとは限らない」と不自然ではありません。

正解・④

第7節 疑問と反語 ―疑ってる？ いや疑っていない！―

1 疑問と反語

或《あるひと》曰《ハク》、「豈《ニ》孝童之猶子与《ナルか》、奚《なんゾ》孝義之勤《ムルコト》若《キト》レ此《クノ》。」

※豈孝童之猶子与……あの孝童《こうどう》さんの甥《おい》ですよね、の意。杜甫《とほ》の叔父杜弁《とへい》は親孝行として有名で、「孝童」と呼ばれていた。「猶子」は甥。

さあ、この中に大切なポイントになる漢字を発見できましたか。

「孝」は親孝行のことで、重要単語だけど（☞343ページ）、もっと重要な漢字があります。それは**「奚」**です。ここでは「なんゾ」と読んでいます。このほかにも、**V より上に**次の漢字（読み）があったら、それは**疑問の副詞**です。

何

理由を問うとき　読み方 なんゾ　訳し方 どうして

※「奚・胡」に置き換え可能。

目的を問うとき　読み方 なにヲカ　訳し方 なにを

※「奚」に置き換え可能。

場所を問うとき　読み方 いづクニカ　訳し方 どこに

※「悪・焉」に置き換え可能。

様態を問うとき　読み方 なんノ　訳し方 どんな

時間を問うとき　読み方 いづレノ　訳し方 いつ

何為

読み方 なんすレゾ　訳し方 どうして

何以

読み方 なにヲもツテ　訳し方 どうして・どうやって

安

理由を問うとき　読み方 いづクンゾ　訳し方 どうして

※「何・悪・焉・寧」に置き換え可能。

場所を問うとき　読み方 いづクニカ　訳し方 どこに・どこで

※「何・悪・焉」に置き換え可能。

誰　読み方 たれカ　訳し方 誰が

孰

複数のとき　読み方 たれカ　訳し方 誰が

二者択一のとき　読み方 いづレカ　訳し方 どちらが

豈　読み方 あニ　訳し方 どうして

冒頭の文の **「奚」** は「なんゾ」と読んでいるので、**「どうして」** と**理由を聞いている疑問の副詞「何」と同じ**です。

疑問の副詞を見つけたら、**文末**に次の漢字があるかチェックしましょう。あれば間違いなく **「か」・「や」と読む疑問の終助詞**（文末の疑問の助字）です。

「か・や」と読む疑問の終助詞

乎・邪・耶・与・歟・也・哉

※「乎・也・哉」はほかの意味もあるので注意（☞244・293〜295ページ）。

ここからが差が付くポイントです。
これら疑問の副詞と終助詞の存在を知ったら、**疑問と反語の判別**をしなくてはいけません。

疑問は「好きですか？」と問いかける形。
反語は「好きだろうか？　いや、好きじゃない」と疑問の形をかりて否定して強調する形。

では、**次のルールをしっかり守って、苦手にする人が多い疑問と反語を必ず得意にしよう！**

疑問と反語の判別

① **疑問の助詞しかないとき**

・文末の「か・や」の**直前の漢字を「連体形」**で読んでいれば「**か**」と読んで**疑問**。

帰《かへル》乎《か》。　読み方 帰る**か**。　訳し方 帰るのか。

・文末の「か・や」の**直前の漢字を「未然形」＋「ン」**で読んでいれば「**や**」と読んで**反語**。

帰《かヘラン》乎《や》。 読み方 帰らん**や**。 訳し方 帰るだろうか、いや帰らない。

② **疑問の副詞しかないとき**

・**文末の漢字を「連体形」**で読んでいれば**疑問**。

何《なんゾ》帰《かヘル》。 読み方 何ぞ帰**る**。 訳し方 どうして帰るのか。

・**文末の漢字の送り仮名を「未然形」＋「ン（ンヤ）」**で読んでいれば**反語**。

何《なんゾ》帰《かヘラン（ランヤ）》。 読み方 何ぞ帰**らん**（**らんや**）。 訳し方 どうして帰るだろうか、いや帰らない。

③ **疑問の副詞と助詞がセットになっているとき**

・文末の「か・や」の**直前の漢字を「連体形」**で読んでいれば「**や**」と読んで**疑問**（例外もあり）。

何《なんゾ》帰《かヘル》乎《や》。 読み方 何ぞ帰る**や**。 訳し方 どうして帰るのか。

・文末の「か・や」の**直前の漢字を「未然形」＋「ン」**で読んでいれば「**や**」と読んで**反語**。

何《なんゾ》帰《かヘラン》乎《や》。 読み方 何ぞ帰らん**や**。 訳し方 どうして帰るだろうか、いや帰らない。

235ページの例文をもう一度見てみましょう。「奚」という疑問の副詞がありますね。文末はどうでしょう。「か・や」と読む疑問の終助詞はないですね。ということで、**「疑問の副詞しかないとき」**のパターンになるので、文末の送り仮名をチェックしましょう。「若」の「ごとし」が**「ごとき」**になっています。

ごとし						
未然形	連用形	終止形	**連体形**	已然形	命令形
（ごとく）	ごとく	ごとし	**ごとき**	○	○

「ごとき」は連体形なので疑問**「どうして〜なのか？」と問いかけている文**となります。よって、「奚《ゾ》孝義之勤《ムルコト》若《キト》レ此《クノ》」の部分は、「**どうして**このように孝義に勤めているの**ですか**」という訳になります。

先生！　白文（返り点も送り仮名もない文）だったら……どうするんですか？

そう、それが疑問と反語を苦手にしてしまう人の究極の悩みです。

そのときはとりあえず疑問文にしてみて、直前や直後の文脈を踏まえながら疑問か反語かの判断をしてみてください。ためしに一問やってみましょう。

問題 傍線部の解釈として最も適当なものを、後の①～⑤のうちから一つ選べ。

昔、漢ノ明徳馬后ニ無シレ子。顕宗取リ二他ノ人《じん》子ヲ一、命ジテ養ハシメテレ之ヲ曰ハク、「**人子何必親生。**但ダ恨ムニ愛之不ルヲ一レ至ラ耳ト。」

（センター試験）

※明徳馬后……後漢の第二代明帝（顕宗）の皇后。第三代章帝の養母。
顕宗取二他人子一、命養レ之……顕宗が他の妃《きさき》の子を引き取って、明徳馬后に養育を託したことをいう。
但～耳。……限定「ただ～だけだ。」（☞256ページ）

① 子というものは、いつまでも親元にいるべきではない。
② 子というものは、必ずしも親の思い通りにはならない。
③ 子というものは、どのようにして育ててゆけば良いのか。
④ 子というものは、自分で産んだかどうかが大事なのではない。
⑤ 子というものは、いつまでも親の気を引きたいものだ。

今回は間違えやすい問題だったかもしれません。まずポイントは疑問の副詞の「何」ですね。ここでその一文字に絞って選択肢を見ると③に「どのようにして」があります。だからといって安易に決めないで、**疑問と反語の判別**をしましょう。今回は送り仮名が付いていないので、ここを疑問で読んで**直後の文脈を確認**してみましょう。直後は「ただ愛（愛情）が至らない（達していない）ことを恨む（不満でいる）だけだ」とあり、③の疑問の回答にはなっていないので消去せざるをえません。つまり、ここは反語の文であることは明確です。そこで、次に「何」の下にある副詞の「必」に着目すると何か気付くことはありませんか。

「何」を例えば読みやすい「何ぞ」で読んで、「どうして」と訳して反語にしてみます。すると「どうして〜であろうか、いや〜ではない」となり、反語は強調表現にもなるのでしたよね。その「〜ではない」という意味の下に「必ず」という副詞の言葉があります。この「必ず〜ではない」に何か心当たりはないですか。否定の下に副詞が置かれる形は部分否定でしたね。実は「何必V」で部分否定になるのです。

反語＝部分否定の形

何《なんゾ》必《かならズシモ》V《未然形＋ンヤ》。

読み方　何ぞ必ずしもV未然形＋んや。

訳し方　どうして〜する必要があるだろうか（、いや必ずしもそんな必要はない）。

注意点は、部分否定のときと同じく副詞のところに送り仮名「シモ」を付けることです。傍線部も「何ぞ必ずしも〜んや」で読みます。だからといって正解を②と安易に決めるのもダメですよ。これでは直後の文脈につながりません。②は引っかけです。

全体の読み方は二つ考えられます。ここは親子の話をしていることから、何ぞ必ずしも親の生まんや。（必ずしも親が産む必要はない。）

もしくは、「親」を副詞として読めば、「自」と同じく「みづから」と読んで「自分で・自分から」と訳す重用単語であることも踏まえると、

何ぞ必ずしも親ら生まんや。（必ずしも自分で産む必要はない。）

となります。これで傍線部を含む会話文全体を読んでみると、「子というものは、自分で産んだということが必要なわけでなく、子への愛情が充分達していないことだけを不満に思うものだ」ということです。

正解・④

そのほかに、こんな形があったのを覚えていますか？

敢不㆓Ⅴ㆒。（☞227ページ）

これは「敢不㆓Ⅴ㆒乎」（敢《あ》へてⅤざらんや）という反語の「乎」が省略された形と考えて、「敢不㆓Ⅴ㆒」も反語で読み訳せるようにしましょう。くれぐれも「不敢㆓Ⅴ㆒」と混同しないように。

2 詠嘆

「〜か」（疑問）・「〜か、いや〜ない」（反語）でも意味が通らないときは、**詠嘆「〜だなあ・〜ではないか」**に

してみましょう。

詠嘆の形

① **単純な詠嘆の形**……**文末**に次の漢字があれば**「かな」**と読む。

〜夫《かな》。・〜哉《かな》。　読み方 〜かな。　訳し方 〜だなあ。〜なことよ。

※「哉」は疑問の終助詞（☞238ページ）でもあるので注意。

② **お決まりの詠嘆の形**……これが出てきたら迷わず詠嘆と判断する。

不《ず》二亦《ま》タ〜一乎《や》。　読み方 亦《ま》た〜ずや。　訳し方 なんと〜ではないか。

③ **疑問または反語で訳すと、どうしても意味がうまく通らないとき**は、**詠嘆**（〜ではないか）もしくは**推測**（〜ではないのか）なのでは？　と疑う。よくあるものは次のとおり。

豈《あ》ニ不《ず》二V未然形一乎《や》。　読み方 豈《あ》に〜V **未然形** ＋ずや。　訳し方 なんと〜ではないか。**（詠嘆）**

豈《あ》ニV連体形乎《か》。　読み方 豈《あ》に〜V **連体形** ＋か。　訳し方 もしかすると〜ではないか。**（推測）**

3 ～締めの一品～ いかんいかん！ どうかなあ？ どうしよう？

締めに、疑問の副詞の「何」を使った形をもう一品！ この「何」の前や後ろに「如」が付くと、さまざまに意味が異なる疑問の言葉になります。

文末の「如何」「何如」

～如何。 読み方 ～如何《いかん》。 訳し方 ～どうしたらよいか。 → どうする？＝**方法**などを聞く

～何如。 読み方 ～何如《いかん》。 訳し方 ～どうであるか。 → どうなの？＝**様態**などを聞く

この違いわかりますか？ 読み方は同じですが、訳を見てください。「どうしたらよいか」は、「これどうしようか？」のように、**方法**や**手段**を聞くとき。「どうであるか」は、「最近どう？」のように、**様態**を聞くときという違いがあります。

次に、「如何」を**文頭**や**文中**に置くと、**送り仮名「ゾ」**を付けて**「どうして」**という疑問の副詞となります。

文頭（文中）の「如何」「何如」

如何ゾ～
何如ゾ～

読み方 如何《いかん》（何如《いかん》）ぞ～　訳し方 どうして～

では、最後にこの「如何」の「如」と「何」が分裂した、**「如～何」**という形を見てみましょう。こんなときは入り込んだ真ん中の「～」のところに、**送り仮名「ヲ」**を付けて、「～を如何《いかん》」もしくは「～を如何《いかん》せん」などと読みましょう。

如～何

如二レ～ヲ一何。

読み方 ～を如何《いかん》（せん）。

訳し方 **〈疑問〉**～をどうしたらよいか。

〈反語〉～をどうしたらよいか（、いやどうすることもできない）。

「いかん」はほかに**「奈何・何若」**などもあるので、慣れてきたらこの形もプラスしておきましょう。

第8節 比較 ―どれくらい「よい」の？―

1 比較

客曰、「徐公不若君之美也。」

※徐公……人名。

さて、これを読むうえでのポイントになる字は何かな？

「若」？

よい指摘です。
そう、ここでのポイントは **「若」** です。ただし、この「若」はクセモノです。なんと四種類の読み方と意味を持つ漢字なのです。

多読多義語「若」の読み方

① **もシ**　「もし～ならば」と、**仮定文**で読むとき。
② **なんぢ**　「お前」と、**二人称**で読む（相手を呼ぶ）とき。
③ **ごとシ**　「～のようだ」と、**比況**で読むとき。
④ **しク**　「～に及ぶ」と、**動詞**で読むとき。

ここでは徐公と君について客人が答えている内容ですが、①～④のどの読み方がよいでしょう。実はここのポイントは「若」だけではなく、**その上の「不」とセットである「不若」**なのです。

徐公ハ不ルレ若カ二君之美ニ一也。

この形を見つけたら、**二つのものを比較する比較形**の句形です。

比較の法則

(A)ハ 不《ず》レ若《し》カ二レ B（スル）ニ一。

読み方　（Aは）B（する）に若《し》かず。　訳し方　（Aは）B（するの）に及ばない。

AとB、二つのものを比較しています。このとき**Aは省略されることもある**ので「不若」の上にAがなければ省略されていると思って、消えたAを補充してみるとわかりやすいでしょう。これで、AとBの二つを比較すると、**［AはBに及ばない。つまり、Bのほうがよい］**という意味になります。

ここまで頑張った君にプレゼント！ 実はこの「不若」、この**「若」を「如」に置き換えても同じ読み方、同じ意味**です。

徐公《ハ》不《ル》レ如《カ》二君之美《ニ》一也。

それじゃあ、ほかの形も「若」を「如」に置き換えることはできないのかなぁ。

すばらしい考えです！

さっきのクセモノの「『若』の読み方」の一覧のうち、**②「なんぢ」以外は置き換え可能**です。

① **もシ** 「もし～ならば」と、**仮定文**で読むとき。↓「若」「如」両方○K
② **なんぢ** 「お前」と、**二人称**で読む（相手を呼ぶ）とき。↓**「若」のみ○K**
③ **ごとシ** 「～のようだ」と、**比況**で読むとき。↓「若」「如」両方○K
④ **しク** 「～に及ぶ」と、**動詞**で読むとき。↓「若」「如」両方○K

ここでは「徐公」がA、「君之美」がB、この**二つを比較**しているので、「徐公は君の美に若《し》かざるなり」と読んで、「徐公はあなたの美しさに及ばない」と訳します。結局は「あなたのほうがイケメンだ」と言いたいのです。

「若」を④の「しク」で読み、その上に否定の「不」（☞217ページ）を足した形ですね。

最後に。「もし～」という仮定形には**「苟」**（いやしクモ）（もし～ならば）もよく使われます。

問題 **次の文の書き下し文と現代語訳を書きなさい。**

① 百聞不ㇾ如㆓一見㆒。

② 知ㇾ之者、不ㇾ如㆓好ㇾ之者㆒。

①のポイントは、**比較の「不如」**。**「百聞」と「一見」が比較対象**。よって「百聞」に「ハ」を、「一見」に「ニ」を付ければ完成。現代語訳は、左の**正解**のほかに**「百回話を耳にすることは、一度目で見ることには及ばない」**でもOK。

②のポイントも、**比較の「不如」**。「知」がⓋ、その下の「之」がⓄ。「之」に送り仮名「ヲ」を付けて「之を知る」。同じように「不如」の下も「之を好む」と読みます。**「知之者」と「好之者」が比較対象**。「知之者」に「ハ」を、「好之者」に「ニ」を付ければ完成。現代語訳は、**「これを知る人は、これを好む人には及ばない」**でもOKです。

正解

① 百聞は一見に如かず。／百回耳にする（聞く）よりは、一度目にする（一回見た）ほうがよい。

② 之を知る者は、之を好む者に如かず。／これを知っている人よりは、これを好む人のほうがよい。

2 最上級

先生〜。

あ〜、お腹いっぱいなんでしょ。

え？　どうしてわかったんですか。

人間の真意は目に一番はっきり現れるからね。

こわ〜！

本音というものは目に露骨に出やすいので気を付けましょう。さて、今、目に一番はっきり現れると言ったけれども、このように**目が一番！　目に及ぶものはない！　と言い切りたいとき**は、二つのものを比較している場合ではなく、**最上級の形**にします。

最上級の形の法則

(A)(ハ) **莫**《な》シレ **如**《し》クハ **(若)**二レ **B**一ニ。

読み方　(A（は）)　Bに如《し》（若）くは莫《な》し。

訳し方　(A（は・について）)　Bに及ぶもの（こと）はない。↓Bが一番だ。

(A)(ハ) **莫**《な》シレ **B**ナル(ハ)レ **焉**《これ》ヨリ。

読み方　(A（は）)　焉《これ》よりBなる（は）莫《な》し。

訳し方　(A（は・について）)　これよりBなもの（こと）はない。↓これが最もBだ。

問題　次の文の書き下し文と現代語訳を書きなさい。

①　**不祥莫大焉。**

※不祥……不吉なこと。

② 知臣莫如主。

①のポイントは、比較の中でも**最上級の「莫～焉」**。これが見えないと「焉」は置き字になってしまうでしょう。「不祥」がA、「莫」と「焉」の間の「大」がBに相当するので、「大」に「ナルハ」を付ければ完成。現代語訳は、左の**正解**のほかに**「不吉なことはこれより大きいものはない」**でもOK。

②のポイントは、比較の**最上級「莫如」**。「知」はⓋ、「臣」はⓄ。「臣を知る」がAに、「主」がBに相当するので「二」を足せば完成。現代語訳は、**「臣下を知るのは君主に及ぶものはいない」**でもOK。

正解
① 不祥焉より大なるは莫し。／これより大きな不吉はない。
② 臣を知るは主に如くは莫し。／臣下を知るのは君主が一番だ。

3 ～締めの一品～ 選択形

う～ん。

何を悩んでいるの？

牛丼か豚丼のどっちにしようかなぁと思って。どっちでもいいから、余計に悩みます……。

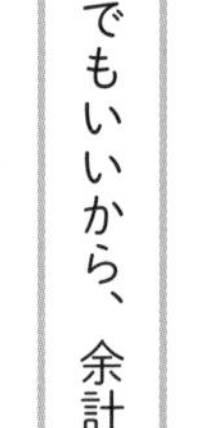

究極の選択に悩まされたことってありますか？　そのときはずっと考えていてもなかなか答えが出なくて、後になったらこんなことに悩まされていたのか！　なんていうことがあるけれども、このように二つのどっちにするか？　という表現が漢文にもあるので、締めの一品にどうぞ。

選択形の法則

Aハ孰㆓若《いづれ》ゾB㆒ニ。

読み方　Aは Bに孰若《いづれ》ぞ。　訳し方　AはBに比べてどうか。

寧《むし》ロA（ス）トモ無《な》カレ㆑B（スル）。

読み方　寧《むし》ろA（す）ともB（する）無《な》かれ。　訳し方　AしてもBするな。

寧《むし》ロA（ス）トモ不《ず》㆑B未然形。

読み方　寧《むし》ろA（す）ともB**未然形**＋ず。　訳し方　AしてもBしない。

第9節　限定と累加　―限定か？　否定か？　反語か？―

或《あるヒト》謂《おもヘラク》、求《メ》二道《ヲ》青《せい》城《じやうニ》一、訪《ネ》二僧《ヲ》衡《かう》岳《がくニ》一、不レ親《シマ》二名《めい》宦《くわんニ》一、惟《ダ》務《ムルノミト》二玄虚《ニ》一。

※青城・衡岳……山の名。　名宦……名声のある大官。
務玄虚……俗世をはなれて、道教や仏教の修行に専念すること。

「惟」は**「たダ」**と読む**限定の意味を表す副詞の漢字**です。限定の意味を持つ漢字は、主に次の八つです。

唯《たダ》・特《たダ》・惟《たダ》・徒《たダ》・但《たダ》・只《たダ》・直《たダ》・独《ひとり》

これ以外にも「たダ」と読むものに出会ったら、すべて限定の副詞と考えよう！

これらを見つけたら限定で「ただ～だけ」と訳せばいいんですね。

いや、もう一つ大切なことがあります。
それは、**文末に置かれて「のみ」と読む**限定の意味を表す助詞の漢字です。主に次の五つです。

爾・已・耳・而已・而已矣　⇒　～だけだ。～にすぎない。

限定の句形にも疑問と反語と同じように、**副詞「ただ」しか使わないパターン**と**助詞「のみ」しか使わないパターン**があるので気を付けましょう。

唯《ただ》・特《ただ》・惟《ただ》・徒《ただ》 ―― **爾《のみ》・已《のみ》・耳《のみ》**　⇒　ただ～だけだ。
但《ただ》・只《ただ》・直《ただ》・独《ひとり》 ―― **而《の》已《み》・而《の》已矣《み》**

さて、ここで本題にいきますよ。

限定の副詞の上に否定の「不」「非」がある、もしくは疑問反語の「豈」があるときは注意！

①否定語「不・非」二＋限定の副詞（唯・惟・独）A一。
②疑問の副詞「豈」＋限定の副詞（唯・惟・独）A。

①の形を見つけたら、限定の副詞「たダ」には**「ニ」**を付けて**「たダニAノミ」**と読みます。「独」は「ひとリ」のままで大丈夫。そして否定語「不」ならば「Aノミ」の後に**「ナラ」**と未然形で読んでから**「ず」**に返ります（☞217ページ）。

「非」ならば「Aノミ」の後に**「ニ」**をつけてから「あらズ」に返ります（☞217ページ）。このように読めたら**「ただ単に**Aだけではない」と訳します。

累加形の法則①

否定語＋限定の副詞の累加形

不《ず》二＋唯《たダニ》＋A《ノミナラ》一。B。

読み方 唯《た》だにAのみならず。B。　訳し方 ただ単にAだけではない。Bもある。

非《あらズ》二＋唯《たダニ》＋A《ノミ》一。B。

読み方 唯《た》だにAのみに非《あら》ず。B。　訳し方 ただ単にAだけではない。Bもある。

②の形も、①と同じように**「たダニAノミ」**と読んで、文末を反語の形で「Aノミ」に続けて**「ナランヤ」**と、未然形＋ンヤと読みます。このように読めたら**「どうしてAだけであろうか」**と訳します。

累加形の法則②

疑問の副詞「豈」＋限定の副詞の累加形

豈《あ》ニ＋唯《た》ダニ＋A。ノミナランヤB。

読み方　豈《あ》に唯《た》だにAのみならんや。B。

訳し方　どうしてAだけであろうか。Bもある。

※「唯」は「特・惟・徒・但・只・直」など（もしくは「独《ひと》リ」）に置き換え可能。

※「独」は限定形と同じく「ひとり」のまま。

これらの形は単なる限定ではなく、一つの話題に対して、この話は一つだけではなく**さらに加えてもう一つある**、という、**累加形**という別の句形なのです。なので、**下に続く文章とセットで読んでいく**ようにしましょう。**限定だけではなく累加もあることまで理解することが大事！**　では練習してみましょう。

問題　次の文の傍線部の書き下し文と現代語訳を書きなさい。

①　騾《ら》馬《ば》三十余、尽《ことごと》ク以《もつ》テ贈ルニ二同人一ニ、独此騾不レ忍レ棄。

※騾馬……ラバ。「騾」も同じ。　同人……知人。　棄……すてる。

②
叔不二惟薦レ仲、又能ク左二右スルコト之ヲ一如シレ此クノ。

※叔・仲……人物。鮑叔《ほうしゅく》と管仲《かんちゅう》のこと。

①は、前半「ラバを三十頭余り、すべて知人に贈った」という内容を大切にします。ポイントは**限定の副詞「独」**。この限定がどこまでかかるかです。三十頭余りいるラバの中でこの一頭のラバだけを手放せなかったことから、「この一頭だけ」とするのが適当。よって「騾」に**送り仮名「ノミ」**を付けます。「不忍」は「しのびず」と読み、「〜するのに我慢できない」と訳す重要単語（☞346ページ）。「〜連体形＋ニ忍ビず」→「棄つるに忍びず」と読めば完成。

②の「叔」は人物「鮑叔」でS。ポイントは**累加の「不惟」**。「薦仲」がAに、「又〜此。」までがBに相当します。「薦」がVなのでその下の「仲」（人物「管仲」）がO。よって「管仲を推薦する」という意味なので「仲を薦む」と読みます。あとは**送り仮名「ノミナラ」**を付ければ完成です。

正解

① 独り此の騾のみ棄つるに忍びず。／このラバだけは手放すのに我慢できなかった。

② 叔惟だに仲を薦むるのみならず／鮑叔はただ単に管仲を推薦しただけでなく

第**2**章　句形

第**10**節　願望 ―お願いは二つまで―

先生、ここまで頑張りましたよ。だからちょっと**休ませてくださ〜い**。

もうちょいじゃん！　もう少し**頑張ってください**。
今のやりとりに二つのお願いがあったのが見えましたか？
その前に、漢文中の次の漢字は、**相手に何かをお願いしている表現**です。数は少ないから覚えちゃおう。

願望形の法則

請《フ》・願《ねがハクハ》・庶幾《こひねがハクハ》・冀《こひねがハクハ》

訳し方　どうか〜

ここからが差が付くポイントです。
みんなこれだけを見て「願望みっけ！」と言って満足しているようですが、大事なのはここからです。さっきのやりとりでも、二つのお願いがあると言いました。

ちょっと**休ませてください**。

もう少し**頑張ってください**。

この二つの願望は違う意味であるのがわかりますか。生徒のほうは**「～させてください」**と**自分の願望**を述べたのに対して、私は**「～してください」**と**相手に対する願望**を述べました。お願いにはこの二つがあるんです。

漢文でもこの見分けが必要ですが、見分けはとても簡単！ **文末の送り仮名**を見てください。

願望形の法則

(自分の願望) 文末 **未然形** ＋ン。……**～させてください。**→休ませてください。

(相手への願望) 文末 **命令形**。……**～してください。**→頑張ってください。

では次の文を見てください。

請フ以《もつ》テレ戦ヲ喩ヘン。

ポイントは**「請」**ですね。これはどっちのお願いでしょう。文末の「喩（たとフ）」を「たとへ」と**未然形**で読み、その後に**「ン」**を付けて読んでいます。「どうか戦争に**たとえさせてください**」という**自分の願望**ですね。

もし、文末が「喩**へヨ**」と**命令形**であれば「どうか戦争で**たとえてください**」という**相手への願望**です。

簡単でしょ。**お願いの漢字を見つけたら、お願いの仕方は二つまで！** すぐに文末で見抜くようにしましょう。

もし送り仮名のない白文のときは、前後の文脈の流れや話し手などを把握して、どちらのタイプのお願いなのかを考えるとよいでしょう。では練習しましょう。

問題 **次の文の書き下し文と現代語訳を書きなさい。**

① **願大王急渡。**（相手への願望）

② **請君為レ我聴。**（自分の願望）

①のポイントは**願望の「願」**。相手への願望として読むので、**命令形**で「渡れ」と読めば完成。

②のポイントは**願望の「請」**。「こフ」と読みます。「為」の下に名詞「我」があるので「我の為に」と読み、ここは自分の願望なので文末を「聴く」の**未然形の「聴か」＋「ン」**と読めば完成。

正解
① 願はくは大王急ぎ渡れ。／どうか大王急いで渡ってください。
② 請ふ君我の為に聴かん。／どうか君よ私のために聴かせてください。

第11節 抑揚 —前半スラスラ、後半ヲヤヲヤ—

もういいよ〜と弱音を吐いている人！ ここまで**でさえ**頑張れたのだから、**まして**これから先は**なおさら**頑張れるはず！ 句形もいよいよラストです。

愚夫《モ》非《ズンバ》㆓天《ノ》聡明《ニ》㆒、不㆑能《ハ》㆑為《ル》㆑人《ト》。況《ンヤ》士子《ヲヤ》。

ここでポイントになる字は何でしょう。

否定の「非」かな。

たしかに「非」は大事な否定（☞217ページ）でしたよね。でもここでは**「況」**がポイントなんです。**「況〜（乎）」**があったら**抑揚形**になります。

抑揚形の基本

A ＋ 猶《なホ》・尚《なホ》・且《かッ》 ＋ B 。 (而)況《いはンヤ》 ＋ C ＋ 乎 。

この基本の形に補足していきます。ここから一つずつ注意点を述べますので、ミスをしないようにしてください。

注意点① **「況」より上に「猶・尚・且」があったら、**その上の**Aには送り仮名「スラ」**を付けましょう。

死馬A **且**《ツ》**買**《フ》レ**之**《ヲ》。**況**《ンヤ》～ → **死馬**A《スラ》 **且**《ツ》**買**《フ》レ**之**《ヲ》。**況**《ンヤ》～

注意点② **「況」の直前に「而」があったら、**「而」は通常順接（そして）で「しかして・しこうして」、逆接（しかし）で「しかるに・しかれども・しかも」と読みますが、**抑揚形のときは「しかるを」**と読みましょう。

而況《ンヤ》**人乎。** → **而**《しかルヲ》**況**《ンヤ》**人乎。**

注意点③ **「況」より下（文末）に「乎」があったら、**「乎」は通常疑問反語の終助詞で、文末を連体形＋か（疑問）、未然形＋んや（反語）で読みますが、**抑揚形のときは「を」＋「や」**と読みましょう。

況《ンヤ》**人乎。** → **況**《ンヤ》**人**《ヲ》**乎**《や》**。**

以上のことをまとめるとこうなります。

第2章 句形

抑揚形の法則

Aスラ猶《なホ》(尚《なホ》・且《かツ》)Bス。(而《しかルヲ》)況《いはンヤ》Cヲ乎《や》。

読み方 Aすら猶《な》ほ(尚《な》ほ・且《か》つ)Bす。(而《しか》るを)況《いわ》んやCをや。

訳し方 AでさえBなのだ。ましてCはなおさら(B)だ。

死馬スラ且ツ買フレ之ヲ。況ンヤ生ケル者ヲ乎。

訳 死んだ馬でさえ買うのだ。まして生きた馬はなおさら買うはずだ。

これで抑揚形は完成！　冒頭で言ったでしょ。ここまで**でさえ**頑張れたのだから、**まして**これから先は**なおさら**頑張れるはずだって。これも抑揚の形ですね。

最後に「於」もプラスされた形も出てくるので、これにも慣れておきましょう。

抑揚形の法則

Aスラ猶《なホ》(尚《なホ》・且《かツ》)Bス。(而《しかルヲ》)況《いはンヤ》於《おいテヲ》レCニ乎《や》。

読み方 Aすら猶ほ(尚ほ・且つ)Bす。(而るを)況んやCに於てをや。

訳し方　Aでさえ Bなのだ。ましてCはなおさら（B）だ。

問題 次の文の傍線部の書き下し文と現代語訳を書きなさい。

① 先《まヅ》従《より》レ隗《くわい》始メヨ。況賢二於隗一者、豈遠二千里一哉。

※隗……人名。郭隗《かくかい》。

② 弓猶失レ之、而況於レ治乎。

※失……わかっていない。　治……政治。

①のポイントは**抑揚の「況」**とその下の**疑問の副詞「豈」**。抑揚の訳から考えれば疑問ではなく**反語**。「遠」がⓋで「遠しとす」ですが、それを未然形＋ンヤで読み、「**遠しとせんや**」。その下の「千里」がⓄ。「千里を遠いとするだろうか（、いや遠いとも思わずやってくる）」という意味なので「千里」に「ヲ」を付けて「**豈に千里を遠しとせんや**」と読めばOK。傍線部の前半は「まして郭隗より賢い人は」という意味なので、「隗」に「ヨリ」を付けます。「賢」は終止形が「賢なり」なので、下の「者」につなげるために連体形「**賢なる**」と読みます。

なお、**「於」は置き字**ですが、実際は意味があります（☞294～295ページ）。

②のポイントは**「～猶～、而況於～乎。」**で、**抑揚**だと見抜けていること。「猶」の上の「弓」がAに、「猶」の下の「失之」がB、「治」がCに相当します。まず「弓」に送り仮名「スラ」を付け、「失」がⓋ、その下の「之」

が〇で「之を失ふ」と読みます。「治」のところに「二」を付け、文末を**抑揚独特の送り仮名「をや」**で読めば完成です。「スラ」の訳し方は、「～でさえ」です。

正解
① 況んや隗より賢なる者、豈に千里を遠しとせんや。／まして隗より賢い者は、どうして千里（の道のり）を遠いとするだろうか。
② 弓すら猶ほ之を失ふ、而るを況んや治に於てをや。／弓についてでさえわかっていないのだ、まして政治についてはなおさらわかっていない。

第12節　見えない字をハッキリ！

おめでとう！　よくここまで頑張ってくれました。これで漢文の読みに自信がついてきたと思います。しかし、私たちはそれで満足していてはいけません。なぜなら読めるだけでなく、**限られた時間で得点できなければ意味がないからです。**そこで、ここからは正しい読解ができるようにしていきましょう。

先生、読んでいる途中で誰の発言なのか、何を言っているのかわからなくなってしまうんですけど……。

漢文は古文と同じように**言葉が省略されることが多い**ですからね。
まずは漢文の基本構造を思い出しましょう（思い出せない人は第1章を再チェック）。

主語＋述語＋目的語。

そうですね。ところが、その中で**主語と目的語が省略されやすい**んです。

省略されやすいところ

S + V + O → (S) V (O)

← 省略　← 省略もしくは「之《これ》ヲ(ニ)」になる。

この省略された言葉をどうしていますか？

そのまま読み進めます。

そこです！

省略されたものはそのまま放置してはいけません。

どんなに面倒であっても、**消えた主語や目的語は必ず補充する**癖をつけましょう。

でも、その補充ができないから飛ばし読みするんですよ。

そんなに難しく考えないで。

まずは、**消えた言葉は直前の文章にある主語と目的語から補充しましょう。**

吾《わ》ガ郷ノ銭《せん》明《めい》経《けい》［S］善クス［V］二詩《し》賦《ふ》ヲ［O］一。毎歳督学［S］ノ科歳ニ試ミルニ［V］二古詩ヲ［O］一、銭ハ必ズ冠軍タリ［V］。

※銭明経……人名。　賦……韻文の一種。長編を原則とする。
督学……官名。官吏を登用するための予備段階の試験において出題や採点を管轄した責任者。
科歳……科試と歳試。ともに官吏登用のための予備段階の試験のこと。　冠軍……成績最上位者。

この文章とても読みやすいでしょう。理由は簡単！　何も省略されていないからです。
もし「消えた言葉は直前の文にある主語と目的語から補充」が通じないときは、さらに**その前、もしくは直後の主語や目的語を補充**してみましょう。
省略された主語や目的語以外にも、**「此《こ》レ」「是《こ》レ」「其《そ》ノ」「如《ごと》シレ此《か》クノ」「若《ごと》シレ是《か》クノ」**があったら、**前の内容から指示内容をはっきりさせる**と、読み間違えることが少なくなります。では、一つ試してみましょう。

問題　次の文章中の空欄a～gに入れるものとして適当なものを、後の①～⑥のうちから一つずつ選べ（同じものを複数回選んでもよい）。なお、設問の都合上、送り仮名を省いたところがある。

秦中ニ有リ下商フ二於外ニ一者上。帰ラントスルニ挈《たづさ》ヘテ二一犬ヲ一以《もつ》テ行ク。抵《いた》ル二黄河ニ一。（舟を待っていたとき）［a］偶《たまたま》腹痛ミ欲スレ瀉《しゃ》セント。［b］亟《すみや》カニ上ガルニレ岸ニ、［c］随ヒ往《ゆ》ク。（銀五十両が入った布袋があり）解キテレ［d］置キレ地ニ、［e］戯《たわむ》レニ向ヒテレ［f］曰ク、「看ルコト好《よ》クセヨト。」舟子（は出発の準備ができたからと）催《うなが》スレ登ルヲレ舟ニ。（出発すると）商入リテレ舟ニ、［g］方《はじ》メテ悔ユレ忘ルルヲ二銀ト与ヲ一レ犬。

※秦中……地名。　商……商売をする。　瀉……下痢。　舟子……船頭。

① 商者　② 犬　③ 客　④ 船頭　⑤ 布袋　⑥ 舟

aの前までSはずっと「秦中有商於外者」、つまり商人（**商者**）です。**消えた言葉は直前から探す**ので、**a**も**b**もSは**商者**とわかります。**c**はその下のVを見てください。「随往」とあります。ここにSとして**a**・**b**と同じ「商者」を入れたら、腹痛に苦しむ商人が急いで岸に上がると、商人も一緒についてくることになって、おかしな内容です。冒頭で商人は犬と一緒でした。ついてくるのは**犬**しかいません。**d**は**Oが省略**されています。直前は銀五十両の入った**布袋**なので、その**布袋**を解き放って地面に置いたという流れです。**e**のSは、直前でも布袋を解き放ったのが誰かは省略されているので、さらに一つ前のSに戻ると「犬」です。しかし**e**に「犬」を入れ、Sにして読み進めると、犬が話し始めることになってしまいます。よって**商者**のほうがよいでしょう。すると次の**f**の〇に入るものは、供にしている犬となります。**g**のSは、直前からでも直後からでも、舟に乗った後に大切な忘れ物をしたことに気付いた人が誰なのかはっきりするでしょう。こうやって**消えた言葉が見えてくるようになると、漢文はとても読みやすくなります**。そしてきっとこの文章を読んでいくうちに、この話のその後の展開が気になるでしょう。そう、その気持ちが大切なのです。頑張ったあなたに簡潔に教えます。

その後、商人はお金のことが気になるものの、置いた場所すら覚えていないので（犬よりお金が先か！）、急いで行っても意味がないとそのまま帰りました。翌年、同じ場所に行く機会があり、お金と犬が気になり探したところ（遅すぎ！）、何かを覆っている形で白骨化した犬を発見しました。埋葬するためにその犬のいた土を掘ると、あの銀五十両があったのです。つまり犬は商人の冗談交じりの「看好」を、けなげに死守していたのです。商人は泣き崩れて犬のために墓を作ったということでした。

正解 a ① b ① c ② d ⑤ e ① f ② g ①

文章を何度も読んだり、訳したりして、速読できるようにしよう！

第13節 読めない字をスッキリ！

先生、読んでいると読めない漢字が出てくるんです。

そのときにどうしているのかな。意味がわからない漢字があっても、その漢字を使った熟語が浮かぶと楽ですが、それだけではフィーリングになりますよね。大切なのは**一文の流れをもう一度確認する**ことです。次の問題を解いてみてください。

問題 次の文章の傍線部「善」の意味を表す熟語として最も適当なものを、後の①〜⑤のうちから一つ選べ。

吾《ガ》郷《ノ》銭明経善二詩賦《ヲ》一。毎歳督学《ノ》科歳《ニ》試《ミルニ》二古詩《ヲ》一、銭《ハ》必《ズ》冠軍《タリ》。

（センター試験）

※銭明経……人名。
賦……韻文の一種。長編を原則とする。

督学……官名。官吏を登用するための予備段階の試験において出題や採点を管轄した責任者。
科歳……科試と歳試。ともに官吏登用のための予備段階の試験のこと。
冠軍……成績最上位者。

① 絶賛　② 特技　③ 博覧　④ 愛好　⑤ 多作

正解を選べましたか。

実はⓋの位置に置かれた **「善」は漢文単語なので、その知識があれば即答できる問題**なのです。やはり重要単語は大切ですね。巻末の重要単語を学ぶ時間を必ず作りましょう。

しかし、その単語を知らなかったり、緊張して覚えたはずの単語を忘れてしまったりしたら、あきらめるしかないのでしょうか。そんなときにやりがちなのは、その一字を見て何となく答えを出す＝フィーリングです。それでは安定した得点にはなりません。

まずこの **「善」がどのような流れで出てきたのか一文の流れで確認**してみましょう。それでも「善」の意味がわからなければ、続きの文章を見てみましょう。

私の故郷の銭明経は詩や賦を**善**としていた。
毎年督学が科試と歳試で古詩を試してみると、銭明経はいつも成績最上位者だった。

どうでしょう。「銭明経は詩や賦を**善**としているから、毎年督学が試験で古詩を出題すると、**いつも成績トップだった**」ということから、彼は**詩を作るのが得意**であったわけです。

では、選択肢を見直します。

① 詩や賦を**絶賛**するから詩でいつも成績トップになれるのなら、誰でも褒めますよね。

② 詩や賦を**特技**としていたから詩でいつも成績トップになれたというのは、意味が通ります。

③ 詩や賦を**博覧**していたら詩でいつも成績トップになれるのは、すごすぎです。

④ 詩や賦を**愛好**しているだけでは、詩でいつも成績トップにはなれないでしょう。

⑤ 詩や賦を**多作**するだけで詩では、いつも成績トップにはなれません。

②以外の「絶賛・博覧・愛好・多作」するだけでは、トップにはなれないでしょ。

正解・②

このように**一字に悩んだら、一文の流れを確認する**ことを心がけましょう。

問題 次の文章は、北宋の王安石が、「賢人」として慕う二人の友人、子固《しこ》（曾鞏《そうきょう》）と正之《せいし》（孫侔《そんぼう》）について述べたものである。傍線部「遺」の意味として最も適当なものを、後の①～⑤のうちから一つ選べ。なお、設問の都合で返り点・送り仮名を省いたところがある。

子固作リテ二「懐《おも》フレ友ヲ」一首ヲ一遺レ予ニ。其ノ大略ハ欲下相ヒ扳《ひ》キテ以テ至リテ二乎中庸ニ一而後《のち》ニ已《や》マント上。正之モ蓋シ亦タ常ニ云フレ爾《しか》。

（センター試験）

※「懐レ友」一首……子固の書いた文章。　扳……引っ張り上げて助ける。
中庸……かたよらず中正であること。儒教における最も重要な徳目の一つ。

①　預ける　②　戒めとする　③　返答する　④　贈る　⑤　慰める

この「遺」は漢文単語でもあります（☞346ページ）。それでも一文の流れをつかんでみましょう。一文は「子固が『友を懐う』という文章を作って私に遺した」という内容です。この時点で消去できる選択肢は③です。子固が作った文章だけの話なので「返答する」は不適当です。そのほかはどれも読めそうな選択肢です。もし一文の流れでも悩むようならば、直前や直後の一文にも目を通しましょう。ここは直後です。直後の文章は文章の大略が書かれていて、②「戒め」や⑤「慰め」の内容ではありません。また①「預ける」にすると、直後でその内容を読んだこととつながらないので消去。「遺」は単語で「のこす・わする・すつ・おくる」がありますが、ここは「私にその文章を書いて贈った」とするのがよいでしょう。

正解・④

文章を読み進めていく中で、**突然話が変わっても焦らないでください！　あきらめないでください！　そのときは、何かを主張するために比喩を使っている**可能性があります。

次の文を一緒に読み進めてみましょう。

聴ケバ二雷《らい》霆《てい》ヲ於百里之外ニ一者、如クレ鼓スルガレ盆ヲ、望メバ二江河ヲ於千里之間ニ一者、如キハレ縈《まと》フガレ帯ヲ、以テ二其ノ相ヒ去ル之遠キヲ一也。故ニ居《を》リテ二于千載之下ニ一而求ムルニ二之ヲ于千載之上ニ一、以テ二相ヒ去ル之遠キヲ一而不レバレ知ラレ有ルヲ二其ノ変一、則チ猶ホシ二刻ミテレ舟ニ一求ムルガレ剣ヲ。

※雷霆……雷鳴。　鼓レ盆……盆は酒などを入れる容器。それを太鼓のように叩《たた》くこと。

千載之下……千年後。　千載之上……千年前。

刻レ舟求レ剣……船で川を渡る途中、水中に剣を落とした人が、すぐ船べりに傷をつけ、船が停泊してからそれを目印に剣を探した故事。

［雷鳴を遠く離れた場所で聞けば］と仮定の文章で始まり、その直後に「盆を鼓するがごとく」とあります。**「如」で［～のようだ］と訳す「ごとし」のときは、これも何かの比喩である**と思いましょう。［まるで盆を叩くようだ］となります。どうでしょう？　言いたいことはわかりましたか？

雷が鳴ると大きな音を立てます。でもそれが百里も離れたところから聞くと、容器を叩くくらいの音に聞こえる。つまり、大きな音も遠くで聞けば小さな音に聞こえるということです。

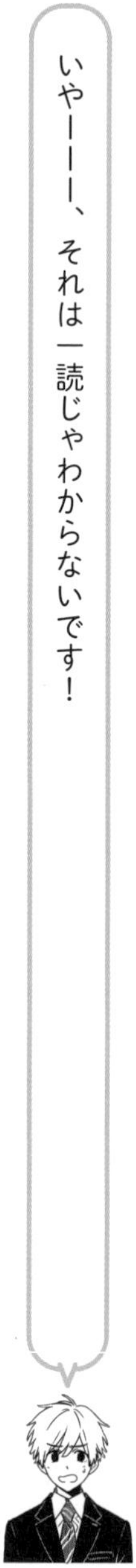

それならあわてないで。まだ文には続きがあるでしょう。読み進めましょう。

［長江や黄河を遠く離れた場所から眺めれば］と先ほどと同じ構造で述べているのがわかりますか？

同じ構造があったら、セットで読んで理解を深めよう！

では同じように続きを読みましょう。

また「如」があります。比喩ですよ。［まるで帯をまとっている（しめている）ようだ］となります。どうですか？　これまでの話をまとめてみます。

> 雷鳴を遠く離れた場所で聞けば、まるで盆を叩くようであり、
> 長江や黄河を遠く離れた所から眺めれば、まるで帯をしめているようだ。

「雷霆」を「大きな音のするもの」として捉えられなくても、それと対構造である「江河」が長江、黄河という大きな川の代表であることがわかれば、どちらも「大きなもの」も「遠く離れたところから見聞すると」となります。そして後半の「盆を叩く」「帯をしめる」ようになるという内容が、「大きいもの」が「小さいもの」のように感じるということを述べています。

> 雷鳴のような大きい音でも遠く離れた場所で聞けば、まるで盆を叩くような小さい音に聞こえるし、長江や黄河のような大河でも遠く離れた場所から眺めれば、まるで帯をしめているように小さく見える。

となります。

では、この設問が解けますか？

問題　**傍線部「聴二雷霆於百里之外一者、如レ鼓レ盆、望二江河於千里之間一者、如レ縈レ帯、以二其相去之遠一也」とあるが、それはどういうことか。その説明として最も適当なものを、次の①～⑤のうちから一つ選べ。**

（センター試験）

①　聴覚と視覚とは別の感覚なので、「雷霆」は「百里」離れると小さく感じられるようになるが、「江

第3章　漢文の読み方

河」は「千里」離れないとそうならないということ。

② 「百里」や「千里」ほども遠くから見聞きしているために、「雷霆」や「江河」のように本来は大きなものも、小さく感じられるということ。

③ 「百里」離れているか「千里」離れているかによって、「雷霆」や「江河」をどのくらい小さく感じるかの程度が違ってくるということ。

④ 「百里」や「千里」くらい遠い所にいるおかげで、「雷霆」や「江河」のように危険なものも、小さく感じられて怖くなくなるということ。

⑤ 空の高さと陸の広さとは違うので、「雷霆」は「百里」離れるとかすかにしか聞こえないが、「江河」は「千里」でもまだ少しは見えるということ。

言うまでもなく②が正解です。選択肢が選べなかった人は、もう一度ここまでの説明を読み直してください。

正解・②

それではさらに読み進めます。ここから「故《ニ》」（だから）とまとめに入ります。比喩の後で主張に入りますよ。

だから、千年後の現在から千年前の過去のことを探るときも、**時間的な距離が遠く離れている**ので**その千年の間に変化がある**ということを知らなければ、

比喩とつなげてここの文章の意味をつかむことはできましたか？「大きなものも、離れたところでは小さく感じられる」ことを踏まえると、「過去のことも、遠く離れた現在から考えると身近なものに感じられる」ことに

なり、そのことを理解できなければどうなるのでしょう。続きを見てください。故事成語が出てきましたよ。

まるで舟から水中に落としてしまった剣を探すのに、舟に刻んだ目印を手がかりにしようとするのと同じように、見つからなくなってしまう。

この故事成語も比喩としてよく使われます。言いたいことはつかめますか？

川の中で動く舟に目印をつけても、剣を落とした場所からずれていくのと同じように、世の中も常に変化しているのに、過去と現在は変化なく同じものだと捉えてしまうと感覚がずれてしまうのだということを伝えています。

このように、突然話が変わってもその前後の文脈とつながっていることを忘れないでください。そして、何度もこのタイプの文章を読んで、話が通じるまで読む訓練をしてみましょう。

訳 雷鳴のような大きい音でも百里離れた場所で聞けば、それはまるで盆を叩くような小さい音に聞こえるし、長江や黄河のような大河でも千里離れた場所から眺めれば、まるで帯をしめているように小さく見えるのは、遠く離れているからである。だから千年後の現在から千年前の過去のことを探るときも、時間的な距離が遠く離れているのでその千年の間に変化があるということを知らなければ、まるで船から落としてしまった剣を探すのに船に刻んだ目印を手がかりにしようとするのと同じように、見つからなくなってしまう。

第15節 詩は法則でコレッキリ！

漢詩はお手上げ状態の人が多いですが、恐れることはないです！　**法則をしっかり使えれば、漢詩は意外と漢文より簡単です。**そのための基本は三点だけ。

①**形式**を生かす。
②**押韻**《おういん》を利用する。
③**意味**を早くつかむ。

覚えてほしいのはこれだけです。少しは気が楽になったかな？

うん、それだけでいいなら漢詩もなんとかなりそう。

1 形式

では、まず形式から始めます。いきなり読むのではなく、まずは**一句が何文字あるか**を確認しましょう。

我来㆓揚子江頭㆒望
一辺白雲数点山
安得㆜置㆓身天柱頂㆒
倒看㆛日月走㆚人間㆙

※丁……甲・乙・丙点の次に読むことを示す返り点。

例文は**一句が七文字**ありますね。このような場合、「**七言《しちごん》**」と呼びます。

次に**全体が何句**あるのか調べてみましょう。ここの場合、**四句**でできています。四句の漢詩を「**絶句《ぜっく》**」と呼びます。まとめると、この詩は「**七言絶句《しちごんぜっく》**」と呼びます。これが**形式**です。簡単でしょう。

漢詩読解に必要な形式として、次のことだけ覚えましょう。

漢詩の法則（形式）

①**一句が何文字あるか**を数える。

五文字であれば→**五言《ごごん》**　**七文字**であれば→**七言《しちごん》**

②次に**全体が何句あるか**を数える。

四句であれば→**絶句《ぜっく》**　**八句**であれば→**律詩《りっし》**　それ以外→**古詩《こし》**

問題　次の漢詩の形式を答えなさい。

欲下丹青筆　先拈宝鏡端
已驚顔索寞　漸覚鬢凋残
涙眼描将易　愁腸写出□
恐君渾忘却　時展画図看

まずは**一句が何文字あるか**の確認でしたね。一句は「欲下丹青筆」で五文字。一句が五文字でできている漢詩は「五言」です。次に**全体が何句あるか**の確認でした。五文字ワンセットの一句を横にではなく上下に見て数えていくと、全体は八句あります。八句の漢詩は「律詩」と呼ぶので、この詩の形式は「**五言**」＋「**律詩**」です。

正解・五言律詩

2 押韻《おういん》

押韻とは**「決まった句の最後の漢字が同じ音の響きになる」**ことです。

我来リテ二揚子江頭ニ一望メバ
一辺ノ白雲数点ノ山
安《いづくンゾ》得ン丁置キ二身ヲ天柱ノ頂ニ一
倒《さかしまニ》看ルヲ丙日月ノ走ルヲ乙人間ヲ甲

ここでは二句目の最後の漢字を見てみましょう。「山」を音読みにすると「サン（san）」になります。そして今度は四句目の最後の漢字を見てみましょう。「間」を音読みにすると「カン（kan）」になり、どちらも「アン（an）」で同じ音の響きになっています。これが**押韻**です。

漢詩読解に必要な押韻として、次のことだけ覚えましょう。

漢詩の法則（押韻）

五言の漢詩（五言絶句・五言律詩・五言古詩）も、**七言の漢詩**（七言絶句・七言律詩・七言古詩）も、

偶数句末が押韻になる。

ただし、**七言詩は第一句末も押韻する。**

※まれに、原則どおりにならない漢詩があることは心得ておこう。なので、例文の漢詩も七言律詩なのに、第一句末が押韻になっていないのです。そのときは偶数句末で考えましょう。

それでは、一問やってみましょう。

問題 **空欄に入る語として最も適当なものを、後の①〜⑥のうちから一つ選べ。**

欲下丹青筆　先拈宝鏡端

已驚顔索寞　漸覚鬢凋残

涙眼描将易　愁腸写出□

恐君渾忘却　時展画図看

①痛　②難　③哀　④寂　⑤辛　⑥安

五言詩は偶数句末が押韻になるので、二句末「端」、四句末「残」、八句末「看」の音をチェックします。「端」→「タン（tan）」、「残」→「ザン（zan）」、「看」→「カン（kan）」であり、「an」と同じ音の響きであることを理解したら、すぐに選択肢をチェック。そうすると「an」の音の響きになるものは②「難」→「ナン（nan）」、⑥「安」→「アン（an）」の二つに絞れます。ではこの二択をどうするのか。次の法則を使います。

3 意味のつかみ方

では最後に、漢詩がよりスムーズに理解できるようなトリセツを学びましょう。

漢詩の法則（意味のつかみ方）

①タイトル（詩題）を利用しよう。

詩のタイトルがあるときは、それが最大のヒントになります。その**タイトルから詩の全体をつかむ**ようにしましょう。

杜牧《とぼく》の「山行」（「山が行く」では意味がおかしいので、「山の中を行く」→山歩きの話）、杜甫《とほ》の「春望」（「望」は「希望・願望」もありますが、ここでは「眺望」で「眺め」のこと→春の景色を眺めている話）、孟浩然《もうこうねん》の「春暁」（「暁」は「夜明け」。→春の夜明けの話）、白居易《はくきょい》の「耳順吟」（「耳順」は年齢を表す言葉で「六十歳」→六十歳の時の歌の話）など。

②**速読法**を利用しよう。

五言詩は二・三に、**七言詩は四・三**、もしくは**二・二・三**に区切ると、意味を捉えるヒントとなります。

〈五言詩〉○○／○○○　**〈七言詩〉**○○○○／○○○　もしくは　○○／○○／○○○

③**律詩**は**対句**を利用しよう。

対句は基本的に律詩の中に登場します。八句の中の**三句目と四句目**、そして**五句目と六句目**が**同じ構造**であったり、**同じ内容**であったり、**正反対の内容**であったりします。

④**最後の一～二句**で**作者の心情**をつかもう。

さて、③対句を利用して、先ほどの押韻のところで扱った詩をもう一度見てみましょう。**律詩は、三句目と四句目、五句目と六句目が構造や意味に何かしら関係があります。**

欲シレ下サント二丹ノ青ノ筆ヲ一、先《まヅ》拈《とル》二宝ノ鏡ノ端ヲ一

已《すでニ》驚ク顔ノ索《さく》寞《ばくタルニ》、漸《やうやク》覚ユ鬢《びんノ》凋《てう》残《ざんスルヲ》

涙眼描キ将《ゆクコト》易ク、愁腸写シ出《ダスコト》□

恐ル二君ノ渾《すベテ》忘却《センコトヲ》一、時ニ展《ひろゲテ》二画図ヲ一看ヨ

空欄になっているのは六句末です。ということは、**六句目と対句している五句目をチェック**すればよいのです。

五句目 涙眼／描 将易 六句目 愁腸／写 出□

「涙眼」と「愁腸」、「描」と「写」、「将易」と「出□」がそれぞれ対応しています。そこで、□と対応している五句目の字をチェックしてみると、**「易」**とあります。「涙の目を描くことは容易」だけれども、「愁いの思いを写し出すことは」どうなのでしょう。選択肢の「安」よりも、「易」の反対の**「難」**で「難しい」のほうがぴったりですね。なので**「難」が正解**。このように、**対句を利用**することは効果的なのです。

正解・②

漢詩は、こうやって法則を使えば、もう怖くありません！

第16節 頻出表現でシャッキリ！

第3章 漢文の読み方

なかなか読むスピードがあがりません……。

やはり読むスピードをあげないと焦って点数も取れませんよね。

よく「読み慣れ」という言葉を聞くけれども、いろいろな科目をやらなければいけないので、そう簡単に読み慣れないものです。なので「読み慣れ」といった決まり文句ではなく、ここでは読み慣れるための**ポイントの字を発見する**ことを大切にしましょう。**頻出のものを使って速読**するのです！　次の例文を見てください。

豈荘子所謂以無用為用者比耶。

※荘子……人物。戦国時代の思想家。

この中にポイントの字はありますか？

「豈～耶」と「所謂」かな。

そうですね。「豈〜耶」は疑問・反語の句形だし、「所謂」は重要単語（☞345ページ）ですね。
今回「豈〜耶」が浮かばなかった人は、第2章第7節の「疑問と反語」を再チェックしましょう。
でも、ほかにもあるのです。

知っておきたい頻出表現

〔S〕以《もつテ》二レAヲ一為《なス》二レBト一。

読み方 〔S〕Aを以てBと為す。

訳し方 （〜が）AをBとする。　（〜が）AをBと思う。

これを知っていれば、次の部分も見えるはずです。

以無用（A）為用（B）

では、この部分をどう読むべきかという、実際の過去問の選択肢を見てみましょう。

① 豈に荘子の所謂**以て無用の用を為す**者をば比《たと》へんや。
② 豈に荘子の所謂**無用の用たるを以て**比《たと》ふるか。
③ 豈に荘子の所謂**以て無用の用を為す**者の比《たぐ》ひなるか。
④ 豈に荘子の所謂**無用を以て用を為す**者をば比《くら》べんや。

⑤ **豈に荘子の所謂無用を以て用と為す**者の比《たぐ》ひなるか。（センター試験・改）

ねっ、きちんと学んでいる人はすぐに⑤を選べるでしょ。**頻出のものを知っておくと、スピードは確実に上がる**のです。

そして、即決できるからこそ、やるべきことがあります。

今回はこのように学んでいてよかった！ と実感できる設問ですが、でもせっかく即決できたのなら、余った時間は**必ずその選んだ選択肢を訳してみて、文脈に合うかどうかを確認する時間に当てましょう。**

ちなみに、この「以A為B」（Aを以《もっ》てBと為《な》す）は、**Aを省略した形「以為B」（以てBと為す）でも頻出**です。さらに、**「以為B」**で**「おもへらくBと」**と読むこともあります。

長文を読むのに知っておくと楽な頻出表現

以レA為レB

「Aを以てBと為す」と読み、**「AをBとする（思う）」**と訳します。またAを省略した形**「以為B」（以てBと為す）**の形も頻出。さらに**「以為B」**で**「以為《おも》へらくBと」**と読み、**「～と思う」**という形もあります。

以レ□

Sの下に「以」があり、その「以」とVの間に言葉が挟まれていたら、それは前置詞の役割を果たす「以」です。そのときは「以レ□」「以二□一」と返り点を付け、□に送り仮名**「ヲ」**を付けましょう。**「～を以《もっ》て」**と読み、**「～を・～で・～ために・～を使って」**などと訳します。

A之B也、

「AのB連体形や、」と読み、**「AがBした際、」「AがBした（とき）、」「AがBするのは、」**などと訳します。

～者

「者」が出てくると、安易に「もの」と読んで**「人」**だと決めつけてしまう人がいますが、この「者」はそれ以外にも**「もの・こと」**を指していたり、「は」と読んで**「～は」**という意味で使われたりすることもあります。前後の文脈からきちんと判別できるようにしておきましょう。

～也。～矣。～焉。

文末に「也。矣。焉。」があれば、「也」以外は読みはないので、置き字で終わりになってしまいますが、これらは**断定の意味を表す助詞**です。断定の「也」は**「なり」**と読み、**「～だ。～である。」**と訳して意識しておけば、文章の中で強調している部分を読み取ることができます。なお、「也」はもう一つ、**「や」と読む疑問反語の意味**もあることをお忘れなく（☞238ページ）。

欲レ□

「欲」を「欲望」とするのは誰にでもできることで、入試で問われることは稀《まれ》です。漢文で「欲」が出てきたら、**「ほっす」**と読むことが大切です。「欲」は最後に読む[V]から返って読み、その[V]のところの送り仮名は「未然形＋ント」となります。これで**「〜[V][未然形]＋ント欲す」**で**「〜しようとする・〜しようと思う」**などと訳します。

所レ□

「所」は[V]で読む字から返って「[V][連体形]＋所」（[V]する所）で「[V]すること・もの」などと訳します。

可二以□一

「可」も頻出で、「ベシ」と「かナリ」の読みがあります。「可」が**[V]より上**にあるなら助動詞**「ベシ」**、**[V]の位置**なら**「かナリ」**です。その「可」の下に「以」があると「可二以[V]一」で**「以て[V][終止形]＋べし」**と読み、**「[V]できる」**と訳します。

於・于・乎

文中の**「於」よりも下に[V]がある**場合は、**「於」に返り点を付け**、この「於」の直前の最後に読む漢字の送り仮名に**「ニ」**を付けて、「([S]) 於《おいテ》二レ□ニ一[V]」で**「〜に於て」**と読み、**「〜で」**と訳します。

文中の**「於」より上に[V]がある**場合は、**「於」に返り点は付かず**、**置き字**です。しかし、その「於」の下にある漢字の中で最後に読む漢字のところ（Vの直前で読むべき漢字のところ）が**場所を表すなら「ニ（～に・で）」**、**目的なら「ヲ（～を）」**、**起点なら「ヨリ（～から）」**、**比較なら「ヨリモ（～よりも）」の送り仮名を付けて**「(S)V二(O)於□《ニ・ヲ・ヨリ・ヨリモ》一」となります。この形と同じものに、「于」「乎」があります。

最後に、第2章第3節で**「於を使った受身の形」**があると言ったのを覚えていますか（☞203ページ）。今までの「於」がわかれば簡単です。「於」より上にVがあれば、「於」は読まない代わりに「於」の下の最後に読む漢字のところに「ニ・ヲ・ヨリ・ヨリモ」の送り仮名の「ニ」を付け、Vに返って読むところを**未然形**にして（☞203ページ）、**受身の送り仮名「ル・ラル」を付ければ、「～に～される」という受身**が完成です。文脈からここは受身だなと思ったらこの形です。

而

まず「而」は置き字とされますが、実際は**接続語の役割**を果たしています。そもそもこの漢字には読みと意味がきちんとあります。**順接（そして）**のときは**「しかシテ・しこうシテ」**、**逆接（しかし）**のときは**「しかルニ・しかレドモ・しかモ」**です。しかし、実際に読んでいないことがほとんどですよね。

例　君子之学《ハ》必《ズ》好《ム》レ問《フヲ》。問《フト》与《と》レ学《ブ》、相輔《たすケテ》**而**行《ク》者也。

これは**「而」が文中に置かれているとき**です。文中に「而」があるときは**直前の最後に読む漢字の送り仮名に注目**してみてください。例文では「而」の直前で最後に読む漢字「輔ク」の送り仮名に**「テ」**があります。これは「而」を順接（そして）の意味で取り、「しかシテ・しこうシテ」の読みをここでせずに「輔」に「テ」を付けて読んでいます。［立派な人の学問は必ず問うことを好む。問うことと学ぶことと、これらを助けにして（そして）進めていくのだ。］となり、文章がつながりましたね。

よって、文中に「而」があるとき、前後の文が**順接**の内容ならば「而」の直前の最後に読む漢字の送り仮名に**「テ・シテ」**を付けて読んで**「〜して〜」と訳し**、**逆接**の内容ならば**「ドモ・ニ」**を付けて読んで**「〜けれども〜・〜だが〜」**などと訳します（☞187ページ）。

以レ此観レ之、

「此《これ》を以《もっ》て之《これ》を観《み》れば、」と読み、**「このことからすると、」「以上のことから見れば、」**と、まとめのように訳します。

接続語

巻末資料にある接続語（☞347〜348ページ）を、文章を読む際に意識して使いましょう。特に重要な接続語は、次の「則」です。

〜則〜

「則」の**直前の送り仮名に「バ」**が付いたら、**「(もし)〜ならば〜・〜すると〜」**と仮定文で訳し、**「ハ」**が付いたら、**「〜はつまり〜」**と判定文で訳します。

問題 次の文章の傍線部の書き下し文と現代語訳を書きなさい（返り点と送り仮名を省略した箇所がある）。

君子ハ不レ奪ハ二人ノ所ヲレ好ム、己所レ不レ欲勿施於人。
豈有下仮二人物一而不レ帰レ之者上耶。

前半の「己所レ不レ欲勿施於人。」から見てみましょう。まずは上から見ていくと、**文構造**（☞174ページ）で「己」がⓈ、「**己の**」で「**自分が**」と訳していればOK。その下の「所」はⓋから返って、**「～連体形（スル）所」**と読み（☞294ページ）、**［～すること・もの］**などと訳します。ここは、その下に「不」「欲」があるので、「不」を連体形で読み、「**ざる所**」。「不」の直前は未然形なので（☞216ページ）、「欲（ほっす）」は「ほっせ」、「**己の欲せざる所は**」［**自分がしてほしくないことは**・自分が望まないことは］となります。「勿」は否定（☞217ページ）でⓋから返って読むので、「施」から返り、「**施す（施すこと）**」。「於」は**頻出表現の「於」**（☞294～295ページ）。**「於」より上**にⓋの「施」があるので、**「於」はここでは読まないパターン**。［自分がしてほしくないことは人にもするな］という意味から、「人」に**送り仮名「ニ」**を付けてから「施」に返れば、「**人に施す（施すこと）勿《な》し（勿かれ）**」［**他人にしない（するな）**］となります。

後半の「豈有下仮二人物一而不レ帰レ之者上耶」を見てみましょう。**「豈」は疑問の副詞**（☞237ページ）。「**豈に**」と読んで［**どうして**］。**文末**を見ると**疑問の終助詞「耶」**（☞238ページ）を発見。これだけでは疑問が反語かの判断ができないので、文脈を大切にしていきましょう（☞240ページ）。**「有」は**「～する者有り」［～する者がいる」（☞182ページ）。「仮」が[V]「仮る」［借りる］、その下の「人」には「二」を付け、さらにその下の「物」は[O]で「物を」。次に**「而」**は置き字ですが、頻出表現で学んだ**接続語の役割**（☞295〜296ページ）があります。「而」の続きを見てみます。「不」は[V]から返るので、「帰」が[V]、物を借りる話なので、「帰」は「帰す」。「不」の直前は未然形なので「帰さ」、「不」は下に「者」が続くので連体形で「ざる」。「帰」の下の「之」が省略語（☞269ページ）の[O]。ここは借りた物を指すので、「之を」。「**之を帰さざる者有り**」［これを返さないことがある］となります。では先ほどの「而」は順接逆接どっちでしょう。「君子は人の好むものを奪わない。それは自分のしてほしくないことは人にもしないから。なので人に物を借りておいてそれを返さないことなど**あってよいわけがない**」という文脈なので、ここは逆接ではなく**順接で「テ・シテ」**を付け、そして**文末を反語で強調**すれば完成。

正解・己の欲せざる所は人に施す（施すこと）勿し（勿かれ）。豈に人に物を仮りて之を帰さざる者有らんや。／自分がしてほしくないことは他人にしない（するな）。どうして人に物を借りておいてその物を返さないことなどあろうか（、いやあってはならない）。

第17節 実戦問題

今まで学んだことを生かして、実戦問題にチャレンジしてみよう！

問題 次の【問題文Ⅰ】の詩と【問題文Ⅱ】の文章は、いずれも馬車を操縦する「御術《ぎょじゅつ》」について書かれたものである。これらを読んで、後の問い（問1〜6）に答えよ。なお、設問の都合で返り点・送り仮名を省いたところがある。

【問題文Ⅰ】

吾ニ有リ二千里ノ馬一　毛骨何(1)蕭《せう》森タル

疾《はや》ク馳《は》スレバ如ク二奔風ノ一　白日ニ無シレ留ムルレ陰ヲ

徐《おもむろ》ニ駆《か》クレバ当タリ二大道ニ一　歩《ほ》驟《しう》ハ中《あ》タル二五音ニ一

A

馬ニ雖モレ有リト二四足一
六《りく》轡《ひ》ハ応ジ二吾ガ手ニ一
東西ト与二南北一

B

惟意所欲適
至レル哉(3)人ト与レ馬
伯楽ハ識ルモ二其ノ外ヲ一
王良ハ得タリ二其ノ性ヲ一
良馬ハ須《ま》ツ二善馭《ぎよ》ヲ一

遅速ハ在リ二吾ガ X 一
調和スルコト如シ二瑟《しつ》琴ノ一
高二‐下ス山ト与ヲレ林
九州可シ二周(2)尋ヌ一
両楽不二相侵サ一
徒(ア)知ル二価ノ千金ナルヲ一
此ノ術固(イ)已ニ深シ
吾ガ言可シレ為スレ箴《しん》ト

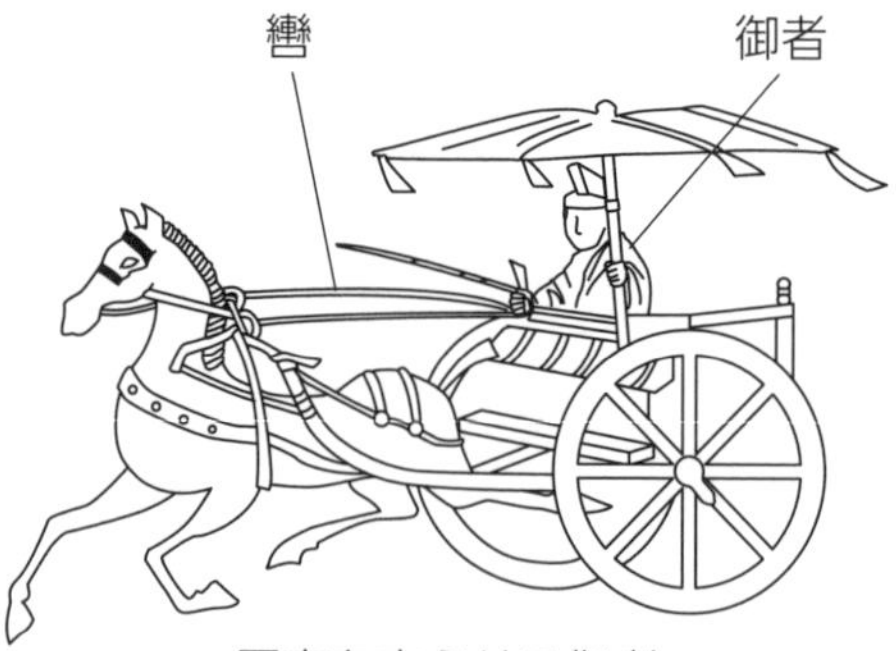

馬車を走らせる御者

※毛骨……馬の毛なみと骨格。
蕭森……ひきしまって美しい。
歩驟……馬が駆ける音。
五音……中国の伝統的な音階。
六轡……馬車を操る手綱。
瑟琴……大きな琴と小さな琴。
九州……中国全土。
伯楽……良馬を見抜く名人。
善馭……すぐれた御者（前ページの図を参照）。馭は御に同じ。
箴……いましめ。

【問題文Ⅱ】

王良は趙《ちょう》国の襄主《じょうしゅ》に仕える臣であり、「御術」における師でもある。ある日、襄主が王良に馬車の駆け競《くら》べを挑み、三回競走して三回とも勝てなかった。くやしがる襄主が、まだ「御術」のすべてを教えていないのではないかと詰め寄ると、王良は次のように答えた。

凡《ソ》御之所レ貴《ブ》、馬体(a)安《ンジ》二于車一《ニ》、人心(b)調《かなヒ》二于馬一《ニ》、而《ル》後《ニ》可《シ》二以《テ》
(c)進《ムコト》速《すみヤカニシテ》致《ス》レ遠《キヲ》。C今君後則欲レ逮レ臣、先則恐レ逮二于臣一。夫《レ》

誘《すすメテ》レ道《ニ》争《フハ》レ遠《キヲ》、非《ザレバ》レ先《ンズルニ》則《チ》後《ルル》也。而《シテ》先(d)後《ノ》心《ハ》在《リ》二于臣《ニ》(e)一。尚《ホ》何《ヲ》以《テ》調《ハン》二於馬《ニ》一。此《レ》君之所二以後《ルル》一也。

（共通テスト）

問1　波線部(ア)「徒」・(イ)「固」のここでの意味と、最も近い意味を持つ漢字はどれか。次の各群の①～⑤のうちから、それぞれ一つずつ選べ。

(ア)「徒」
① 只
② 復
③ 当
④ 好
⑤ 猶

(イ)「固」
① 強
② 難
③ 必
④ 絶
⑤ 本

問2　波線部(1)「何」・(2)「周」・(3)「至 哉」のここでの解釈として最も適当なものを、次の各群の①～⑤のうちから、それぞれ一つずつ選べ。

(1)「何」
① どこが
② いつから
③ どのように
④ どうして
⑤ なんと

(2)「周」
① 手あたり次第に
② 何度も繰り返して
③ あらゆるところに
④ きちんと準備して
⑤ はるか遠くより

(3)「至哉」
① あのような遠くまで行くことができるものなのか
② こんなにも人の気持ちが理解できるものなのか
③ あのような高い山まで登ることができようか
④ このような境地にまで到達できるものなのか
⑤ こんなにも速く走ることができるだろうか

問3 **【問題文Ⅰ】**の傍線部A「馬雖レ有二四足一 遅速在二吾X一」は「御術」の要点を述べている。**【問題文Ⅰ】**と**【問題文Ⅱ】**を踏まえれば、**【問題文Ⅰ】**の空欄Xには**【問題文Ⅱ】**の二重傍線部(a)～(e)のいずれかが入る。空欄Xに入る語として最も適当なものを、次の①～⑤のうちから一つ選べ。

① (a) 体
② (b) 心
③ (c) 進

④ (d) 先

⑤ (e) 臣

問4 傍線部B「惟 意 所 欲 適」の返り点の付け方と書き下し文との組合せとして最も適当なものを、次の①～⑤のうちから一つ選べ。

① 惟 意 所二欲 適一　惟《た》だ意の欲して適《かな》ふ所にして

② 惟 意 所 欲レ適　惟だ意《おも》ふ所に適《かな》はんと欲して

③ 惟 意レ所レ欲 適　惟だ欲する所を意《おも》ひ適《ゆ》きて

④ 惟 意 所レ欲レ適　惟だ意の適《ゆ》かんと欲する所にして

⑤ 惟 意レ所二欲 適一　惟だ欲して適《ゆ》く所を意《おも》ひて

問5 傍線部C「今 君 後 則 欲レ逮レ臣、先 則 恐レ逮二于 臣一。」の解釈として最も適当なものを、次の①～⑤のうちから一つ選べ。

① あなたは私に後ろにつかれると馬車の操縦に集中するのに、私が前に出るとすぐにやる気を失ってしまいました。

② あなたは今回後れても追いつこうとしましたが、以前は私に及ばないのではないかと不安にかられるだけでした。

③　あなたはいつも馬車のことを後回しにして、どの馬も私の馬より劣っているのではないかと憂えるばかりでした。
④　あなたは後から追い抜くことを考えていましたが、私は最初から追いつかれないように気をつけていました。
⑤　あなたは私に後れると追いつくことだけを考え、前に出るといつ追いつかれるかと心配ばかりしていました。

問6　**【問題文Ⅰ】**と**【問題文Ⅱ】**を踏まえた「御術」と御者の説明として最も適当なものを、次の①〜⑤のうちから一つ選べ。

①　「御術」においては、馬を手厚く養うだけでなく、よい馬車を選ぶことも大切である。王良のように車の手入れを入念にしなければ、馬を快適に走らせることのできる御者にはなれない。
②　「御術」においては、馬の心のうちをくみとり、馬車を遠くまで走らせることが大切である。王良のように馬の体調を考えながら鍛えなければ、千里の馬を育てる御者にはなれない。
③　「御術」においては、すぐれた馬を選ぶだけでなく、馬と一体となって走ることも大切である。襄主のように他のことに気をとられていては、馬を自在に走らせる御者にはなれない。
④　「御術」においては、馬を厳しく育て、巧みな駆け引きを会得することが大切である。王良のように常に勝負の場を意識しながら馬を育てなければ、競走に勝つことのできる御者にはなれない。
⑤　「御術」においては、訓練場だけでなく、山と林を駆けまわって手綱さばきを磨くことも大切であ

る。裏主のように型通りの練習をおこなうだけでは、素晴らしい御者にはなれない。

はい！　どうでしたか。では解説していきます。一緒に読み直していきますよ。

まずは本文を読む前に、

ポイント①　大事な情報は取り入れること

「大事な情報」の一例がリード文というものです。受験生のために本文読解を助けてくれているのです。**【問題文Ⅰ】【問題文Ⅱ】の文章**は**「いずれも馬車を操縦する『御術』について書かれたものである」**ことを頭に入れて、注釈もどんどん利用して本文に入ろう！　おっと、そこに出てきたのは詩です。

ポイント②　詩は法則を生かすこと

詩の大切な三つの法則は、形式、押韻、意味のつかみ方でした。今回の詩は一句五文字、全体二十二句の**五言古詩**ですね。五言詩は偶数句末が押韻する、となると気になるのは偶数句末にある空欄 X です。

問3　設問タイプ　空欄補充の問題

設問を読むと**【問題文Ⅱ】**とも絡むことがわかるので、即結論には至らない予感はしますが、押韻でできるところまでやってしまいましょう。ほかの偶数句末「森・陰・音・琴・林・尋・侵・金・深・箴」を音読みにしていけば「in」です。選択肢で同じなのは②心・③進・⑤臣です。ここからは意味をつかむときに使う二句一セットの法則と、**【問題文Ⅱ】**を踏まえていかないと絞れないので、いったんストップして冒頭から詩の意味をつかんでいきます。

では詩の意味をつかむために、二句一セットの法則を使いましょう。

> 私には一日に千里も走る馬がいる　その馬の毛なみと骨格は　**何**　ひきしまって美しいか。

問2 (1)　設問タイプ　ここでの解釈の問題

焦らずに！「ここでの」ということは一字の判断は危険ですよ。例えば「何」だけを見たら、これまで漢文学習をしてきた皆さんの知識を利用すれば、間違いなく疑問の副詞の「何」でしょう。そうなるとうっかり即答で④にしてしまいます。もう一度言いますよ。これは漢文ではなく漢詩です。

> ポイント②　**詩は法則を生かすこと**

このことを忘れずに！　まずは最初の二句は、

> 私には一日に千里も走る馬がいる　その馬の毛なみと骨格は　**何**　ひきしまって美しいか。

でした。これでも答えが決まらなければ、次の二句を見てみましょう。

速く走れば吹いている風のようで　太陽が出ているうちにその影をとどめることがない。

その千里を走る馬は休む間もなく走り続けることができるという内容から、ただの馬じゃない名馬だということを伝えています。その内容につながるような「何」を含む最初の二句の解釈は、どれがよいと思いますか。選択肢を吟味してみましょう。

① 私には一日に千里も走る馬がいる　その馬の毛なみと骨格は**どこが**ひきしまって美しいのか。
➡疑問の文章では次の二句の内容につながりません。

② 私には一日に千里も走る馬がいる　その馬の毛なみと骨格は**いつから**ひきしまって美しいのか。
➡これも疑問の文章にすると次の二句の内容にはつながりません。

③ 私には一日に千里も走る馬がいる　その馬の毛なみと骨格は**どのように**ひきしまって美しいのか。
➡これも疑問の文章では次の二句の内容にはつながりません。

④ 私には一日に千里も走る馬がいる　その馬の毛なみと骨格は**どうして**ひきしまって美しいのか。
➡これも疑問の文章では次の二句の内容にはつながりません。

⑤ 私には一日に千里も走る馬がいる　その馬の毛なみと骨格は**なんと**ひきしまって美しいことか。
➡四句全体がこの名馬の素晴らしさを絶賛した内容としてまとまり、かつ詠嘆の「何」の形もありますので、こちらのほうがここでの解釈に最適です。

ということで、**正解は⑤**でした。では五句目・六句目に進みましょう。

「徐」は漢文単語で、「ゆっくりと」。

> ゆっくりと走れば大きな道（？）に合致していて　駆ける音は伝統的な音階の五音（？）に合致している。

ちょっと意味が取りにくくてもあわてないように。大切なのは二句一セット。この二句は似たような話をしていると思いませんか。なので、これくらいで理解できれば良いと思います。少し補足すると、［馬がゆっくりと走るときも、またその駆けるときの音も、きちんとした方法（法則）に合致している］ということです。そこで先ほど中途半端な状態で保留にした**問3**の二句にいきましょう。

「雖」はよく出てくる頻出の仮定形で、かつ逆接の内容を含み［たとえ〜しても］［〜であるけれども］と訳します。

> 馬には四本の足があるけれども　遅いか速いかは私の　②**心**③**進**⑤**臣**　にある。

さあ、どうでしょう。これだけすばらしい名馬が速いか遅いかは私の何次第なのでしょう。もしこれでも決まらなければ、あわてずに次の二句を見てみましょう。

> 馬車を操る手綱は私の手に応じて　大きな琴と小さな琴のように調和する。

馬に乗る自分と馬が一体となっている様子を述べています。ということは、自分と馬との**心**が通じ合わないといけませんね。**正解は**②です。

東西南北　あらゆる所の山や林を登り下り、
惟意所欲適　中国全土を　**周**　訪れることができる。

ではここで二つ設問を解いてしまいましょう。

問4　設問タイプ　返り点の付け方と書き下し文の組合せの問題

ポイントの字を早く見つけて解きたいところですが、漢詩なのでまずは下の句も忘れずに見て、「中国全土を**周**　訪れることができる」という内容であることをつかんでおきましょう。そのうえで、さあポイントの字は見えますか。

ポイント③　ポイントの字（句形・単語・接続語）を見つけること

今回は限定の副詞「惟」はすべての選択肢で読んでいるので、それ以外で探しましょう。次のポイントは「所」です。「所」は下にあるVの字から返って読み、「Vする所」で「Vすること・もの」などと訳す頻出の単語です（☞294ページ）。ではV探しに残りの漢字を見てみましょう。次の**「欲」**も「Vしようとする・Vしようと思う」と訳す頻出の単語（☞294ページ）です。この「欲」もVから返って「V未然形＋んと欲す」と読むので、そうすると「適」がVということで間違いありません。実際選択肢もすべて①②「適《かな》ふ」、③④⑤「適《ゆ》く」となっています。これで「意」を除いてまとめれば「惟だ（適《かな》はんと?）（適《ゆ》かんと?）欲する所」と読めます。ではこの時点でおかしな選択肢を消去しましょう。

① 惟《た》だ意の**欲して**適《かな》ふ所にして　➡「V未然形＋んと欲す」が読めていない➡消去。
② 惟だ**意《おも》ふ所**に適《かな》はんと欲して　➡下にあるVの字から返って読む「Vする所」で読めていない
➡消去。
③ 惟だ**欲する**所を意《おも》ひ適《ゆ》きて　➡「V未然形＋んと欲す」が読めていない➡消去。
④ 惟だ意の**適《ゆ》かんと欲する**所にして　➡「所」「欲」を正しく読めている。
⑤ 惟だ**欲して**適《ゆ》く所を意《おも》ひて　➡「V未然形＋んと欲す」が読めていない➡消去。

この時点で④しか残っていませんが、この選択肢で問題ないか、二句一セットで訳して確認してみましょう。

ただ意（心）の行こうとするところは　中国全土を　**周**　訪れることができる。

中国全土で行きたいなと思う場所には訪れることができるという内容で意味も通ります。**正解は④**。

問2(2)　設問タイプ　ここでの解釈

「周」も先ほどの**問2(1)**のときと同じく**二句一セット**で、ここまで読んできた内容から③「あらゆるところに」行けたとするのがぴったりです。**正解は③**。

ただ意（心）の行こうとするところは　中国全土あらゆるところに訪れることができる。

次の二句でまたこの設問です。

問2 ⑶　設問タイプ　ここでの解釈の問題

ここも二句一セットで「至哉」の続きを読んでいきましょう。

「両」は二句で見れば「人と馬」を指しているのはわかりますよね。

人と馬と　共に楽しみ相手の邪魔をしない。

人が馬の、馬が人の楽しみを邪魔することをしない心境を語った内容であることをつかんだら、選択肢はどうでしょう。

① あのような**遠くまで行くことができる**ものなのか　⬇距離の話ではない⬇消去。

② こんなにも**人の気持ちが理解できる**ものなのか　⬇人から馬への気持ちの話がない⬇消去。

③ あのような**高い山まで登ることができようか**　⬇高い山に登る話ではないし、反語では登れないという否定的な話になる⬇消去。

④ このような**境地にまで到達できる**ものなのか　⬇両者の相手を気遣う心境と合致。

⑤ こんなにも**速く走ることができるだろうか**　⬇速く走る内容ではないし、反語では走れないという否定的な話になる⬇消去。

正解は④です。

良馬を見抜く名人である伯楽は馬の外面を知っていても　**徒**　その価格が千金なことを知っているだけだ。

問1(ア)　ここでの意味と近い漢字を選択する問題

Ⅴである「知る」の上にある「徒」は間違いなく「ただ」と読む限定の副詞（☞255ページ）ですね。そのほかに「ただ」と読める字を理解していれば即答で「只」しかありません。**正解は**①。

良馬を見抜く名人である伯楽は馬の外面を知っていても　ただその価格が千金なことを知っているだけだ。

「性」は重要単語で［本性・生まれつき］。「術」はリード文をつかんでいれば［馬車を操縦する「御術」］でしたね。

王良は馬の本性を理解していて　その「御術」は **固** すでに深いものであった。

問1(イ)　ここでの意味と近い漢字を選択する問題

「固」は頻出の単語で「もとより」と読み、［もともと・いうまでもなく］と訳します。それと同じ意味になりそうなものは「本」しかありません。**正解は**⑤です。

王良は馬の本性を理解していて　その「御術」はもともとすでに深いものであった。
良馬はすぐれた御者を待っている　私の言葉はそのいましめとすべきものだ。

これで漢詩は読み終わりました。全体を通すとこのような内容でした。

私には一日に千里も走る馬がいる　その馬の毛なみと骨格はなんとひきしまって美しいことか
速く走れば吹いている風のようで　太陽が出ているうちにその影をとどめることがない
ゆっくりと走れば大きな法則に合致していて　駆ける音は五音に合致している
馬には四本の足があるけれども　遅いか速いかは私の心次第だ
馬車を操る手綱は私の手に応じて　大きな琴と小さな琴のように調和する
東西南北　あらゆる所の山や林を登り下り
ただ心の行こうとするところは　中国全土あらゆるところに訪れることができる
このような境地にまで到達できるものなのか　人と馬と共に楽しみ相手の邪魔をしない
伯楽は馬の外面を知っていても　ただその価格が千金なことを知っているだけだ
王良は馬の本性を理解していて　その御術はもともとすでに深いものであった
良馬はすぐれた御者を待っている　私の言葉はそのいましめとすべきものだ

ポイント④　**話をまとめておくこと**

ただの読みっぱなしは次の**【問題文Ⅱ】**との関連性、そして最後の設問に悪影響を与えてしまうので、何の話をしていたのか、だいたいのまとめができるようになっておいたほうがよいでしょう。今回の詩は、まとめるとこのような内容でした。

自分の名馬は馬と人の心が一体となることで千里も速く走ることができる。王良もそれを心得ているのであり、良馬はすぐれた御者を待っている。

それでは**【問題文Ⅱ】**に入りましょう。この辺から実際時間が迫ってくるので焦るところです。だからこそきちんと基礎事項を生かして、確実なポイントで速読していくようにしましょう。設問もあと二つです。

ポイント③　ポイントの字（句形・単語・接続語）を見つけること

凡そ御の貴ぶ所は、馬体車に安んじ、人心馬に調ひ、而る後に以て進むこと速やかにして遠きを致すべし。

ポイントの字

「凡」……接続語［いったい・すべて］
「所」……頻出単語［Vすること・もの］
「于」……置き字。「於」と同じ用法（☞294〜295ページ）
「而後」……接続語［〜した後で・その後で］
「可以」……頻出単語［Vできる］
「Vコト〜」……頻出表現［〜まで・〜のように・〜くらい　Vする］

訳 いったい御術で大切なことは、馬の体が馬車に安定して、御者の心が馬と調和して、その後で速くて遠くまで走ることができます。

ここで設問です。

問5 解釈の問題

ポイント③ **ポイントの字（句形・単語・接続語）を見つけること**

今君後則欲レ逮レ臣、先則恐レ逮二于臣一。

では探してみましょう。

「今」は頻出表現の［ところで今］。現実の問題点の指摘が始まります。こういうときは直前の文章と対比している可能性がありますので、確認しておきましょう。

いったい「御術」で大切なことは、馬の体が馬車に安定して、御者の心が馬と調和して、その後で速くて遠くまで走ることができます。

これが「御術」の基本であるのに対して、どんな問題が生じているのでしょう。ほかのポイントの字を探ってみましょう。

「則」は接続語で、直前に「バ」の送り仮名を付ければ［(もし)〜ならば・すると〜］と仮定文に、「ハ」の送り仮名を付ければ［〜はつまり〜］と判定文になります。この時点で選択肢を絞ることができます。

① あなたは私に**後ろにつかれると**馬車の操縦に集中するのに、私が前に**出ると**すぐにやる気を失ってしまいました。
② あなたは今回後れても追いつこうとしましたが、以前は私に及ばないのではないかと不安にかられるだけでした。
③ あなたはいつも馬車のことを後回しにして、どの馬も私の馬より劣っているのではないかと憂えるばかりでした。
④ あなたは後から追い抜くことを考えていましたが、私は最初から追いつかれないように気をつけていました。
⑤ あなたは私に**後れると**追いつくことだけを考え、前に**出ると**いつ追いつかれるかと心配ばかりしていました。

「則」を踏まえたものは①か⑤しかありません。さらに、先ほどの「今」を生かして、直前の文と対比された内容となり、そして頻出単語「欲」の［Ⓥしようとする・Ⓥしようと思う］という意味が含まれているものは、⑤しかありません。**正解は⑤**です。

訳 ところで今、あなた（ご主君）は私に後れると追いつくことだけを考え、前に出るといつ追いつかれるかと心配ばかりしていました。

最後まで読み進めましょう。

夫れ道に誘めて遠きを争ふは、先んずるに非ざれば則ち後るるなり。

ポイントの字

「夫」……接続語〔そもそも・いったい〕

訳 そもそも道を進めて遠くを争うのは、前に出ていくのでなければ後れるのです。

而して先後の心は臣に在り。

ポイントの字

「而」……接続語〔そして〕　「臣」……重要単語。会話文では〔私〕

訳 そして前でも後でもそのときの心は私にありました。

尚ほ何を以て馬に調はん。

ポイントの字

［尚］……重要単語［やはり］

［何以］……疑問の副詞［どうして・どうやって・どのようにして］

訳

これではやはりどうやって馬との調和ができるでしょうか。

此れ君の後るる所以なり。

ポイントの字

［此］……指示語［これ］

［所以］……重要単語［原因］

訳

これがあなた（ご主君）が後れた原因なのです。

第4章 実戦問題

今の話の全体訳はこのような感じです。

ポイント④ 話をまとめておくこと

いったい御術で大切なことは、馬の体が馬車に安定して、御者の心が馬と調和して、その後で速くて遠くまで走ることができます。ところで今、あなた（ご主君）は私に後れると追いつくことだけを考え、前に出るといつ追いつかれるかと心配ばかりしていました。そもそも道を進めて遠くを争うのは、前に出ていくのでなければ後れるのです。そして前でも後でもそのときの心は私にありました。これではやはりどうやって馬との調和ができるでしょうか。これがあなた（ご主君）が後れた原因なのです。

まとめると、このような内容でした。

「御術」の基本は馬と一体となって走ることで速く遠くまでいけるのに、襄主は私のことばかり気にしていたために結果は後れてしまった。

問6 【問題文Ⅰ】【問題文Ⅱ】の御術と御者の説明の問題

ここは話をまとめることができていないと、この設問に時間を要するでしょう。確認しておきます。

【問題文Ⅰ】

自分の名馬は馬と人の心が一体となることで千里も速く走ることができる。王良もそれを心得ているのであり、

良馬はすぐれた御者を待っている。

【問題文Ⅱ】

「御術」の基本は馬と一体となって走ることで速く遠くまでいけるのに、襄主は私のことばかり気にしていたために結果は後れてしまった。

これと同じ説明をしているものを選びましょう。

① 「よい馬車を選ぶことも大切である」、「車の手入れを入念に」する話は本文に無関係➡消去。
② 「馬の体調を考えながら鍛え」る話は本文に無関係➡消去。
③ 「馬と一体となって走ることも大切」、「他のことに気をとられていては、馬を自在に走らせる御者にはなれない」は**【問題文Ⅰ】【問題文Ⅱ】**ともに合致する内容。
④ 「馬を厳しく育て、巧みな駆け引きを会得する」、「常に勝負の場を意識しながら馬を育てなければ、競走に勝つことのできる御者にはなれない」話は本文に無関係➡消去。
⑤ 「訓練場だけでなく、山と林を駆けまわって手綱さばきを磨くことも大切」、「型通りの練習をおこなう」話は本文に無関係➡消去。

正解は③です。いかがでしたか。根拠をもって確実にできましたか。

このように、フィーリングではなく、学んだことがどれだけ生かせるかを知ることが重要です。そのために自分が弱いところ、忘れ始めているところ、そのようなところを早く見つけて改善することです。『論語』に「過而不改、是謂過矣」（過《あやま》ちて改《あらた》めざる、是《これ》を過ちと謂《い》ふ）とあります。**間違えたのにそれを改めない態度こそが過ちなのです**。後悔しないように、「やっておいてよかった！」と言えるような強い自分になっていってください。

正解
問1 (ア) ① (イ) ⑤
問2 (1) ⑤ (2) ③ (3) ④
問3 ②
問4 ④
問5 ⑤
問6 ③

【問題文Ⅰ】

書き下し文

吾に千里の馬有り　毛骨何ぞ蕭森たる
疾く馳すれば奔風のごとく　白日に陰を留むる無し
徐ろに駆くれば大道に当たり　歩驟は五音に中たる
馬に四足有りと雖も　遅速は吾が心に在り
六轡は吾が手に応じ　調和すること瑟琴のごとし
東西と南北と　山と林とを高下す
惟だ意の適かんと欲する所にして　九州周く尋ぬべし
至れるかな人と馬と　両楽相侵さず
伯楽は其の外を識るも　徒だ価の千金なるを知る
王良は其の性を得たり　此の術固より已に深し
良馬は善馭を須つ　吾が言箴と為すべし

訳

私には一日に千里も走る馬がいる　その馬の毛なみと骨格はなんとひきしまって美しいことか
速く走れば吹いている風のようで　太陽が出ているうちにその影をとどめることがない
ゆっくりと走れば大きな法則に合致していて　駆ける音は五音に合致している
馬には四本の足があるけれども　遅いか速いかは私の心次第だ
馬車を操る手綱は私の手に応じて　大きな琴と小さな琴のように調和する
東西南北　あらゆる所の山や林を登り下り
ただ心の行こうとするところは　中国全土あらゆるところに訪れることができる
このような境地にまで到達できるものなのか　人と馬と共に楽しみ相手の邪魔をしない
伯楽は馬の外面を知っていても　ただその価格が千金なことを知っているだけだ
王良は馬の本性を理解していて　その御術はもともとすでに深いものであった
良馬はすぐれた御者を待っている　私の言葉はそのいましめとすべきものだ

【問題文Ⅱ】

書き下し文　凡そ御の貴ぶ所は、馬体車に安んじ、人心馬に調ひ、而る後に以て進むこと速やかにして遠きを致すべし。今君後るれば則ち臣に逮ばんと欲し、先んずれば則ち臣に逮ばれんと恐る。夫れ道に誘めて遠きを争ふは、先んずるに非ざれば則ち後るるなり。而して先後の心は臣に在り。尚ほ何を以て馬に調はん。此れ君の後るる所以なり。

訳 いったい御術で大切なことは、馬の体が馬車に安定して、御者の心が馬と調和して、その後で速くて遠くまで走ることができます。ところで今、あなた（ご主君）は私に後れると追いつくことだけを考え、前に出るといつ追いつかれるかと心配ばかりしていました。そもそも道を進めて遠くを争うのは、前に出ていくのでなければ後れるのです。そして前でも後でもそのときの心は私にありました。これではやはりどうやって馬との調和ができるでしょうか。これがあなた（ご主君）が後れた原因なのです。

巻末資料

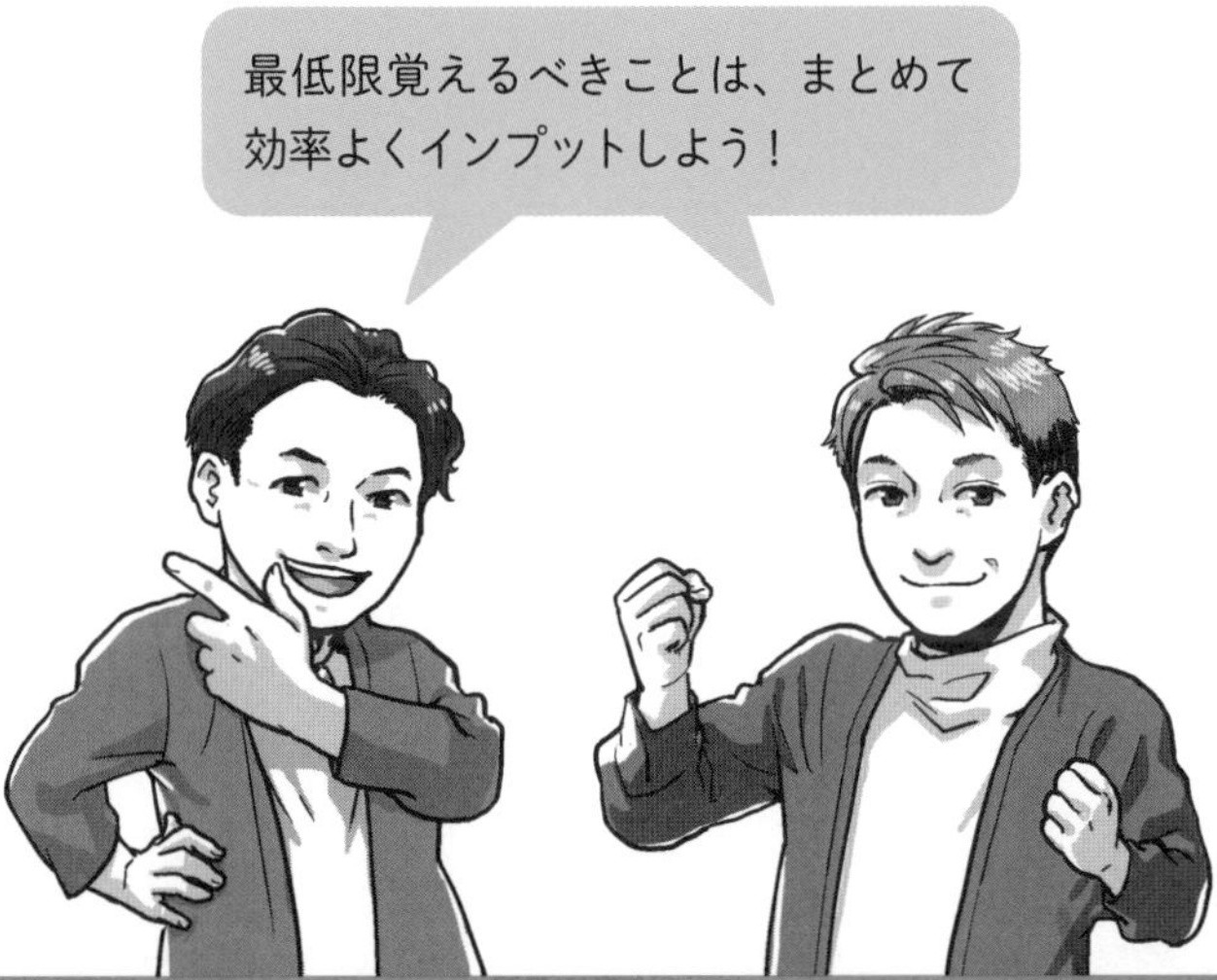

最低限覚えるべきことは、まとめて
効率よくインプットしよう！

最重要古文単語

1 形容詞

単語	意味
あさまし	驚きあきれる感じだ、驚くほど〜だ。
あたらし	①惜しい、もったいない。②立派だ。
あやし	①不思議だ。②身分が低い。③粗末だ。④怪しい。
有り難し	①めったにない。②めったにないほどすばらしい。
いとほし	①気の毒だ。②いとしい。
いはけなし =いとけなし	幼い、あどけない。
いぶせし	気が晴れない、うっとうしい。
いみじ	程度がはなはだしい。
うしろめたし	気がかりだ、不安だ。

単語	意味
うつくし	①かわいい、いとしい。②美しい、立派だ。
うるはし	①端正だ。②立派だ。③親しい。
おとなし	①年配だ。②思慮分別がある。③大人っぽい。
おどろおどろし	①おおげさだ、仰々しい。②騒々しい。
おぼつかなし	①気がかりだ、不安だ。②待ち遠しい、じれったい。③はっきり見えない。
かしこし	①恐れ多い。②立派だ。③並々でない。

かたはらいたし	①見苦しい。②きまりが悪い。③気の毒だ。
かなし	①いとしい、かわいい。②つらい、悲しい。
口惜し	残念だ、期待外れでがっかりだ。
心にくし	奥ゆかしい、心ひかれる、立派だ。
心もとなし	①待ち遠しい、じれったい。②気がかりだ、不安だ。③はっきり見えない。
さうざうし	物足りない、退屈だ、心さびしい。
すさまじ	①興ざめだ。②趣がない。
つれなし	①冷淡だ、薄情だ。②平然としている。
所せし	①いっぱいだ。②窮屈だ。③わずらわしい。④堂々としている。
なつかし	心惹かれる、慕わしい。
なまめかし	①若々しい。②優美だ、上品だ。
はかなし	①あてにならない。②つまらない。③ちょっとした。

はしたなし	①中途半端だ。②きまりが悪い。③みっともない。
はづかし	①きまりが悪い。②こちらが恥ずかしいほど立派だ。
便無し	①都合が悪い、具合が悪い。②気の毒だ。
むつかし	①不快だ、わずらわしい。②気味が悪い。
めざまし	気に入らない、めざわりだ。
めづらし	①すばらしい。②めったにない、珍しい。
めでたし	すばらしい。
やさし	①つらい。②優美だ、上品だ。③殊勝だ。④やさしい。
やむごとなし	①高貴だ、立派だ。②格別だ。
ゆかし	心ひかれる感じだ、見たい、聞きたい、知りたい。
ゆゆし	①おそれ多い。②不吉だ。③立派だ。④非常に。

らうたし	かわいい、いとしい。
わびし	①つらい、つまらない。②貧しい。
わりなし	①無理矢理だ。②めちゃくちゃだ。③つらい。④どうしようもない。
をかし	①趣深い。②愛らしい、すばらしい。③滑稽だ。

2 形容動詞

単語	意味
あからさまなり	ついちょっとだ、かりそめだ。
あだなり	①不誠実だ。②無駄だ、はかない。
あてなり	①優美だ、上品だ。②高貴だ、身分の高い。
あながちなり	①強引だ。②はなはだしい。
あはれなり	①しみじみと趣深い。②しみじみ感動的だ。③愛情深い。④しみじみと悲しい。
優《いう》なり	①優美だ、上品だ。②優れている、立派だ。
いたづらなり	①無駄だ、つまらない。②暇だ、退屈だ。
艶《えん》なり	①優美だ、上品だ。②魅力的だ。
おぼろけなり	①並一通りだ。②並々でない。
おろかなり	おろそかだ、いいかげんだ。
清らなり	美しい、きれいだ。
ことわりなり	もっともだ、当然だ、言うまでもない。
すずろなり	①何ということもない。②思いがけない。③むやみやたらだ。

せちなり	①切実だ。②大切だ。
つれづれなり	①所在ない、退屈だ。②心寂しい。
なかなかなり	中途半端だ。
ねんごろなり	親密だ、念入りだ、熱心だ。
不便《ふびん》なり	都合が悪い、具合が悪い。
まめなり	①誠実だ、真面目だ。②実用的だ。
むげなり	①ひどい、最低だ。②はなはだしい。
をこなり	おろかだ、ばかばかしい。

3 動詞

単語（活用の種類）	意味
ありく（カ四）	歩き回る、〜て回る。
あるじす（サ変）	もてなす、ごちそうする。
失《う》す（サ下二）	なくなる、死ぬ。
うちとく（カ下二）	①溶ける。②うち解ける。③油断する。
おくる（ラ下二）	①遅れる。②先立たれる。
おこす（サ下二）	送ってよこす。
おこたる（ラ四）	①怠ける。②（病気が）快方へ向かう。③あやまちを犯す。
おどろく（カ四）	①目を覚ます。②驚く。

単語（活用の種類）	意味
かきくらす（サ四）	①空を暗くする。②悲しみにくれる。
かこつ（タ四）	①不平を言う。②口実にする。
かしづく（カ四）	大切に養育する。
かづく（カ四）	①もらう。②かぶる。③潜る。
かづく（カ下二）	①与える。②かぶせる。③潜らせる。
離《か》る（ラ下二）	途絶える、なくなる。
具す（サ変）	①連れて行く、連れ立つ。②夫婦となる。

困《こう》ず（サ変）	①困る。②疲れる。
ことわる（ラ四）	①説明する。②判断する。③明らかにする。
たのむ（マ四）	あてにする、期待する。
たのむ（マ下二）	あてにさせる、期待させる。
ためらふ（ハ四）	①躊躇《ちゅうちょ》する。②心を落ち着かせる。③病勢が弱まる。
つつむ（マ四）	①包む、隠す。②遠慮する。
時めく（カ四）	①時流に乗って栄える。②寵愛を受ける。

ながむ（マ下二）	①眺める。②物思いにふける。③詩歌を口ずさむ。
なやむ（マ四）	①苦悩する。②病気になる。
ならふ（ハ四）	①学習する。②慣れる。
念ず（サ変）	①念じる。②我慢する。
ののしる（ラ四）	①大騒ぎをする。②評判になる。
まもる（ラ四）	①見つめる、見続ける。②監視する。
もてなす（サ四）	①扱う。②ふるまう。
やつす（サ四）	①目立たなくする。②出家する。

4 名詞

単語	意味
暁《あかつき》	夜明け前のまだ暗い時分。
遊び	詩歌管弦の宴。
急ぎ	準備。
一の人	臣下の中の最高権力者。

単語	意味
色好み	恋愛や風流を深く解する人。
内《うち》	①宮中。②帝。
うつつ	現実。
おこなひ	仏道修行。

おほやけ	①朝廷。②帝。
影《かげ》	①光。②姿。③恩恵。
かたち	容貌、容姿。
際《きは》	①端、限界。②身分、程度。
気色《けしき》	①様子。②心理、顔色。
心ばへ	①気立て、性質。②風情。③意味。
腰折れ	下手な和歌。
才《ざえ》	漢籍の教養。
里	(女房などの)実家。
しるし	①効果。②霊験、ご利益。
そのかみ	その当時、昔。
そらごと	嘘《うそ》。
ただびと	①臣下。②普通の人。
たより	①手段、方法。②縁故、つて。③機会、ついで。

契り	①前世からの因縁。②夫婦仲、男女の交わり。
つとめて	①早朝。②(何かの)翌朝。
年ごろ	長年、長い間。
情け	①思いやり。②愛情。③風流心。④情趣。
匂ひ	①(花や人の)美しさ。②香り。
人の国	地方。
文《ふみ》	①手紙。②書物。③漢籍、漢詩文。
本意《ほい》	かねてからの願い、念願。
絆《ほだし》	出家の妨げ、束縛。
程《ほど》	①距離。②時間、うち。③身分、家柄。
世	①男女仲。②俗世間。③世の中。
由《よし》	①理由、根拠、方法。②由緒、いわれ、事情。

5 副詞など

単語	意味
あまた	多く、たくさん。
いさ	さあわからない。
いつしか	①いつの間にか。②早く。
いと	とても。
いとど	いっそう、ますます。
うたて	①不快に。②気味が悪く。③ますます。
おのづから	自然に、ひとりでに。
かく	こう、このように。
かたみに	お互いに。
げに	なるほど、たしかに、実に、本当に。
ここら、そこら	多く、たくさん。

単語	意味
さ、しか	そう、そのように。
さすがに	そうは言ってもやはり。
さりとも	いくらなんでも。
すなはち	すぐに、即座に。
なかなか	かえって。
など	なぜ。
なほ	やはり。
やうやう	徐々に、しだいに。
やがて	①すぐに。②そのまま。
やはら、やをら	そっと、静かに。
折節《をりふし》	ちょうどそのとき。

6 慣用句

単語	意味
飽かず	①物足りない、名残惜しい。 ②飽きない。
あなかま(たまへ)	しっ、静かに(してください)。
あらぬ	別の、ほかの。
いかがはせむ ＝何にかはせむ	どうしようか、いやどうしようもないだろう。
いざたまへ	さあ、いらっしゃい。
言はむかたなし	なんとも言いようがない。
言ふもおろかなり ＝言へばおろかなり ・～とはおろかなり	言葉では言い尽くせないほどだ。 ～などという言葉では言い切れないほどだ。
言ふもさらなり ＝言へばさらなり ＝さらにも言はず	言うまでもない。
今は限り	これが最後(最期)だ、もうお別れだ。

単語	意味
えも言はず ＝えならず	なんとも言えないほどだ。
頭下ろす ＝もとどりを切る ＝世を背く	出家する。
数ならず ＝物の数ならず	たいしたものではない。
けしうはあらず	悪くはない。
こと(＋名詞)	別の、ほかの。
(動詞＋)さす	～しかけて途中でやめる。
さてあるべきならず	そのままでいられない、そのままいるべきでない。
さらぬ別れ	死別。
さるべきにや	そうなるはずの運命であろうか。
さればこそ ＝さればよ	やはり思ったとおりだ。

せきあへず =袖を絞る	涙をこらえきれない、涙を流す。
ただならず =例ならず	①普通でない、病気だ。②妊娠している。
とばかり	少しの間。
人やりならず	他人がやったのでなく、自分のせいだ。
むなしくなる =いたづらになる	死ぬ。
物もおぼえず	何が何だかわからない、茫然自失の状態だ。

夕されば	夕方になると。
世に合ふ	時流に乗って栄える、寵愛を受ける。
例の	いつものように。
われか人かにもあらず =われかにもあらず =われかの気色	何が何だかわからない、茫然自失の状態だ。

7 敬語動詞① 尊敬語

動詞	もとの動詞（現代語）	口語訳
おはす おはします ます まします	ある・行く・来る	いらっしゃる　補～（て）いらっしゃる
いますかり	ある	いらっしゃる　補～（て）いらっしゃる
仰《おほ》す のたまふ のたまはす	言う	おっしゃる
聞こしめす	①聞く ②食う・飲む	お聞きになる 召し上がる
思《おぼ》す 思《おも》ほす 思《おぼ》し召《め》す	思う	お思いになる
たまはす	与える	お与えになる
たまふ〔四段〕※	与える	お与えになる　補～なさる・お～になる
あそばす	する	なさる

御覧ず	見る	ご覧になる
大殿籠《おほとのごも》る	寝る	おやすみになる
召す	呼ぶ	お呼びになる
しろしめす	①知る ②統治する	ご存じである お治めになる
参る※ 奉る※	①乗る ②着る ③食う・飲む	お乗りになる お召しになる 召し上がる

8 敬語動詞② 謙譲語

動詞	もとの動詞(現代語)	口語訳
侍り※ 候ふ※	いる・仕える	お仕えする
まうづ 参る※	行く・来る	参上する
まかる まかづ	出る	退出する

申す 聞こゆ 聞こえさす	言う	申し上げる　補〜し申し上げる
奏す	言う	(天皇に)申し上げる
啓す	言う	(中宮・東宮に)申し上げる
承《うけたまは》る	聞く	うかがう
参らす 奉る※	与える	差し上げる　補〜し申し上げる・いたす・お〜になる
たまはる	もらう	いただく
つかうまつる	する	〜し申し上げる
たまふ〔下二段〕※		補〜ております・〜させていただく

9 敬語動詞③ 丁寧語

動詞	もとの動詞(現代語)	口語訳
侍り※ 候ふ※	いる・ある	あります・います　補〜です・〜ます・〜ございます

※「参る・奉る」の特殊用法

①原則は謙譲語。

「参る」＝［参上する］　「奉る」＝［差し上げる］

②**「飲食する・乗る・着る」**の意なら**尊敬語の本動詞**。

※「侍り・候ふ」の整理

①補助動詞用法なら**丁寧語**。

②**「偉い人の近くにいる」**意なら**謙譲語の本動詞**。

※下二段活用の補助動詞「たまふ」の特徴（四段活用の「たまふ」は尊敬語）

①**謙譲語**　訳［〜ております・〜させていただく］

②会話文と手紙文でのみ使用される。

③発話主（書き手）の動作に付く。↓**主語は「私」**。

④知覚動詞（「思ふ・見る・聞く・知る」など）に付く。

⑤複合動詞には割り込む。例「思ひたまへ知る。」

10 掛詞ベスト26

[地]……地名

掛詞	意味
あかし	[地]明石―明かし
あき	秋―飽き
あふ	会ふ―[地]逢坂・葵（あふひ）
あふみ	[地]近江―逢ふ身
あま	海人・天―尼
いる	射る―入る
うき	浮き―憂き
うさ	[地]宇佐―憂さ
おく	置く―起く
かる	枯る―離る
きく	菊―聞く
ことのは	（草木の）葉―言の葉
しか	鹿―然

掛詞	意味
すみよし	[地]住吉―住み良し
すむ	（月が）澄む―住む
たつ	裁つ・[地]竜田―立つ
たび	旅―度
ながめ	長雨―眺め
なみ	波―無み
はる	春―張る
ひ	火・日・緋―思ひ・恋ひ
ふみ	文―踏み
ふる	降る・振る―経る・古る
まつ	松―待つ
よ	節―世・夜
よる	夜―寄る

11 枕詞ベスト24（＊は必須）

枕詞	かかる語
あかねさす	紫・照る・日・月・昼
＊あしひきの	山・峰
あづさゆみ	いる［射る・入る］・はる［張る・春］・ひく
あまざかる	鄙《ひな》
あらたまの	年・月・日・春
あをによし	奈良
いそのかみ	古《ふ》る・布留
うつせみの	命・世・人
からころも	着る・たつ［裁つ・立つ・竜田《たつた》］・裾・紐《ひも》
＊くさまくら	旅・結ぶ
くれたけの	ふし［節《ふし》・臥し・うきふし］・よ［節《よ》・夜・世］
しきしまの	大和《やまと》
しろたへの	衣・袖・袂《たもと》・紐・襷《たすき》・（雪）
たまきはる	命・親
たまくしげ	ふた・あく・み
たまぼこの	道・里
＊たらちねの	母・親
＊ちはやぶる	神・うぢ［氏・宇治］
なるかみの	音
ぬばたまの	黒・闇・夕・夜・髪・夢
＊ひさかたの	空・天・光・雲・雨
もののふの	やそ［八十］・うぢ［氏・宇治］
ももしきの	大宮
わかくさの	つま［妻・夫］

赤シートを使って、単語の意味を覚える練習をしよう！

最重要漢文単語

1 基本の名詞

単語	意味
聖人《せいじん》	完全な徳を備えた人物
君子《くんし》	徳のある立派な人物
小人《せうじん（しょうじん）》	徳の少ない人物
不肖《ふせう（ふしょう）》	愚か（者）
客《かく》	旅人・食客
上《しやう（しょう）》	皇帝・天子
朕《ちん》	私（皇帝・天子が使う）
寡人《くわじん（かじん）》	徳の少ない人（会話文＝私）

単語	意味
左右《さいう（さゆう）》	側近
臣《しん》	臣下・私
妾《せふ（しょう）》	私（女性のみが使う）
夫子《ふうし》	先生・あなた
予《われ》・余《われ》・某《それがし》	私
君《きみ》・卿《けい》・公《こう》・子《し》	あなた
汝《なんぢ》・女《なんぢ》・若《なんぢ》・爾《なんぢ》	お前
粟《ぞく》	穀物

2 間違えやすい名詞

単語	誤読	誤訳	意味
先生《せんせい》		×先生	あなた　※「先生」という意味もある。

丈夫《ぢやうふ》(じょうふ)	×じょうぶ	×元気	一人前の男　※「大丈夫《ふ》」(意味…立派な男子)にも注意。
百姓《ひやくせい》	×ひゃくしょう	×農民	人民
故人《こじん》		×死んだ人	旧友・古くからの友人
人間《じんかん》	×にんげん	×人間	世の中・世間
鬼《き》	×おに	×鬼	幽霊
城《じやう》(じょう)	×しろ	×城	城壁・城壁に囲まれた町
字《あざな》	×じ	×文字	別名
師《し》		×先生	模範・手本(・先生)または軍隊
性《せい》		×性格	本性・生まれつき

3 使える名詞

単語	意味
為《ひととなり》レ人	人柄
声《こゑ》	名声・評判
色《いろ》	顔色・表情
所以《ゆゑん》	原因、理由・手段、方法
旬《じゅん》・旬日《じゅんじつ》	十日
期年《きねん》	まる一年

単語	意味
命《めい》	天命・運命・命令・生命
理《り》	道理　※Ⅴのときは理《をさ》ム(治める)
仁《じん》	他者への思いやり
義《ぎ》	人として行うべき正しい道
礼《れい》	人間が守るべき礼儀や作法・社会規範
孝《かう》(こう)	育ててくれた親に対する思いやり行動・親孝行

4 覚えにくい副詞

単語	読み	意味
更・交	こもごも	かわるがわる
倶・与・偕	ともに	一緒に
私・窃	ひそかに	こっそりと
咸・渾・都	すべて	全部・皆
尤・最	もっとも	とりわけ
偶・適・会	たまたま	偶然
愈・弥	いよいよ	ますます

単語	読み	意味
数・屢	しばしば	何度も・たびたび
卒・遽・俄	にはかに	急に・あわてて
向・前	さきに	以前に・さっき
自・親	みづから	自分で・自分から　※自《おのづか》ラ……自然と(に)
嘗・曽	かつて	以前
甚・太	はなはだ	非常に・とても

5 間違えやすい副詞

単語	読み	意味
蓋	けだし	思うに
盍	なんぞ〜ざる	どうして〜しないのか
凡	およそ	すべて・いったい
大凡	おほよそ	だいたい

単語	読み	意味
倶	ともに	一緒に・どちらも
具	つぶさに	詳細に・くわしく
漸	やうやく	だんだん・次第に
暫	しばらく	とりあえず・しばらく
徐	おもむろに	ゆっくり

単語	読み	意味
所以	ゆゑん	原因、理由・手段、方法
所謂	いはゆる	つまり
猶	なほ	やはり・まだ ※再読文字の「猶」と混同しないこと。
自	みづから おのづから より	自分で 自然に ～から
毎	つねに ごとに	いつも ～するたびに

6 使える副詞

単語	読み	意味
往往	おうおう	しばしば
稍	やや・ようやく	少し・次第に
立	たちどころに	すぐに
忽	たちまち	突然
須臾	しゅゆにして	しばらくして・まもなく
相	あい	お互い・相手に（を）

単語	読み	意味
良久	ややひさしくして	しばらくして
久レ之	これをひさしくして	しばらくして
一日	いちじつ	ある日
一旦	いったん	ある日・ある朝
他日	たじつ	ある日
終歳	しゅうさい	一年中

7 使える動詞・形容詞・形容動詞 ※一文の流れから適当な読みや意味を考えよう。

単語	読み	意味
遺	のこス・わすル・すツ・おくル	残す・忘れる・捨てる・贈る
過	あやまツ・すグ・よぎル	間違える・過ぎる・訪れる
造	つくル・いたル	作る・行く、来る
辞	じス （じ） ※名詞	やめる・去る・ことわる・（言葉）
忍	しのブ	我慢する・残酷である
謝	しゃス	感謝する・謝罪する
称	音読み しょうス 訓読み かなフ・たたフ・となフ	つりあう・ほめる・となえる
勝	かツ・まさル・たフ （あゲテ） ※副詞	勝つ・すぐれる・耐える・（すべて）
対	こたフ	お答えする

単語	読み	意味
説	とク・よろこブ	説明する・喜ぶ
致	いたス	送る・招く・なしとげる
白	もうス	申し上げる
絶	たツ・たユ	断ち切る・絶える
亡	ほろボス・ほろブ・にグ・うしなフ・ぼうズ	滅ぼす・滅びる・逃げる・失う・死ぬ
悪	あシ・にくム	悪い・憎む
易	かフ・やすシ	かえる、かわる・簡単だ、たやすい
事	つかフ・ことトス	仕える・専念する
及	およブ	至る・達成する・ゆきわたる
挙	あグ （あゲテ） ※副詞	あげる・用いる・（皆で）

8 使える接続語

接続語	読み	意味
是以	ここをもって	こういうわけで
以レ是	これをもって	これが原因で・このことで
於レ是	ここにおいて	そこで
然則	しからばすなはち	そうであるならば
然後	しかるのち（に）	そうした後で
然而	しかりしこうして	そうではあるが
乃	すなはち	やがて・そこで・ようやく・なんと
則	すなはち	～ならば・～すると・つまり
即	すなはち	ただちに・すぐさま・すぐに
便	すなはち	すぐに
輒	すなはち	そのたびごとに
又	また	さらに
亦	また	同様に
復	また	ふたたび・もう一度
還	また	くりかえして

遂	つひに	やがて・その結果・そのまま
卒	つひに	結局・とうとう
終	つひに	結局・とうとう
竟	つひに	結局・とうとう

9 入試頻出の多読多義語

単語	読み	見分け方
女	をんな・なんぢ・むすめ	女性のとき「おんな」、目上→目下に「お前」と呼ぶとき「なんぢ」(☞342ページ)、娘のとき「むすめ」。
夫	をっと・それ・かの・かな	夫・旦那のとき「をっと」、接続語で「そもそも」のとき「それ」、「あの」と訳すとき「かノ」、文末で詠嘆「〜だなあ」(☞244ページ)のとき「かな」。
若	もし・なんぢ・ごとし・しく	(☞248ページ)
如	もし・ごとし・しく	(☞249ページ)
之	の・ゆく・これを(これに)	Ⓢと\[V\]、名詞と名詞の間＝助詞「〜の・〜が」で「の」、\[V\]のとき「出かける・行く」で「ゆク」、\[O\]のとき「これヲ」「これニ」。

故	ゆゑに・ゆゑ・ことさらに・もとより・ふるし	「だから」とまとめるとき「ゆゑニ」、理由のとき「ゆゑ」、故意・意図的なとき「ことさらニ」、「以前・もともと」のとき「もとヨリ」、Vのとき「古い」で「ふるシ」。
已	すでに・やむ・のみ	Vの上＝副詞で「すでニ」、Vのとき「やム」、文末のとき限定の助詞（☞256ページ）なら「のみ」。
疾	やまひ・とし・にくむ	名詞のとき「病気」で「やまひ」、Vのとき「はやい」内容なら「とシ」、「憎む」内容なら「にくム」。
見	みる・まみゆ・あらはる・あらはす・る・らる	Vなら文脈にあわせて「見る・目に入る」なら「みル」、目上に「お会いする」なら「まみユ」、「現れる」なら「あらはル」、「表す・示す」なら「あらはス」、Vより上なら受身「～される」（☞203ページ）で「る・らル」。
与	と・ともに・か・や・あたふ・くみす・あづかる・より・よりは	前置詞「～と」なら「と」、Vの上で副詞で「一緒に・どちらも」なら「とモニ」、文末で疑問・反語の終助詞（☞238ページ）なら「か・や」、Vなら文脈で「与える」なら「あたフ」、「仲間になる・味方する」なら「くみス」、「関係する・関与する」なら「あづかル」、比較なら「よリ・よリハ」。
為	ために・なす・なる・つくる・おさむ・たり・る・らる	Vより上で「～の（が）ために」で「ためニ」（※ただし「～の」が省略された形もあり）、Vなら「する」で「なス」、「なる」で「なル」、「作る」で「つくル」、「治める」で「おさム」、「～である・～だった」で「たリ」、受身「～される」（☞203ページ）なら「る・らル」。

漢文ポイント一覧

太田　善之（おおた　よしゆき）
千葉県出身。河合塾古文科講師。生涯教育の講師も務める。担当講義は東大・早大クラスから中堅私大クラスまで幅広い。古文が苦手だった自らの経験をもとに、「受験古文にセンスはいらない」をモットーとした授業を展開。必要最小限の知識による論理的読解や古語の持つニュアンスをわかりやすく解説する指導には定評がある。「古文が好きになった！」という受験生の声を聞くことがなによりの喜び。
著書に『何が書いてあるかわからない人のための　古文のオキテ45』（KADOKAWA）、『首都圏「難関」私大古文演習』『「有名」私大古文演習』（以上、河合出版、共著）などがある。

打越　竜也（うちこし　たつや）
神奈川県横浜市出身。大学院博士課程終了後、現在は受験予備校の河合塾の漢文講師、大学や各施設の生涯学習講座で『論語』講師として活動中。座右の銘は「学びて思わざれば則ち罔（くら）し、思いて学ばざれば則ち殆（あやう）し」（学んでも考えなければはっきりわからない、考えばかりで学ばないと独断で危険だ）。
著書に『改訂版　世界一わかりやすい 早稲田の国語 合格講座』（KADOKAWA、共著）、『こどもと楽しむマンガ論語』（ブティック社）などがある。

改訂版《かいていばん》　大学入学共通《だいがくにゅうがくきょうつう》テスト
国語《こくご》［古文《こぶん》・漢文《かんぶん》］の点数《てんすう》が面白《おもしろ》いほどとれる本《ほん》
0からはじめて100までねらえる

2020年８月21日　初版　　第１刷発行
2024年８月２日　改訂版　第１刷発行

著者／太田《おおた》 善之《よしゆき》・打越《うちこし》 竜也《たつや》

発行者／山下 直久

発行／株式会社KADOKAWA
〒102-8177　東京都千代田区富士見2-13-3
電話　0570-002-301（ナビダイヤル）

印刷所／TOPPANクロレ株式会社
製本所／TOPPANクロレ株式会社

●お問い合わせ
https://www.kadokawa.co.jp/（「お問い合わせ」へお進みください）
※内容によっては、お答えできない場合があります。
※サポートは日本国内のみとさせていただきます。
※Japanese text only

定価はカバーに表示してあります。

ISBN 978-4-04-606688-6　C7081